DRÁCULA
PASIONAL

DRÁCULA
PASIONAL

NANCY KILPATRICK

Grupo Editorial Tomo, S.A. de C.V.,
Nicolás San Juan 1043
03100, México, D.F.

1a. edición, junio 2013.

© *The Darker Passions: Dracula*
Copyright © 2001 Nancy Kilpatrick
Mosaic Press

© 2013, Grupo Editorial Tomo, S.A. de C.V.
Nicolás San Juan 1043, Col. Del Valle
03100 México, D.F.
Tels. 5575-6615, 5575-8701 y 5575-0186
Fax. 5575-6695
http://www.grupotomo.com.mx
ISBN-13: 978-607-415-497-9
Miembro de la Cámara Nacional
de la Industria Editorial No. 2961

Traducción: Ivonne Saíd Marínez
Formación tipográfica: Marco A. Garibay M.
Diseño de portada: Karla Silva
Corrector de pruebas: Miroslava Turrubiarte Thomas
Supervisor de producción: Leonardo Figueroa

Este libro se publicó conforme al contrato establecido entre
Mosaic Press y *Grupo Editorial Tomo, S.A. de C.V.*

Impreso en México - *Printed in Mexico*

Sephera Giron, Eric Kauppinen, Hugues Leblanc, Caro Soles, Mari Anne Werier, D.E.H., G. Harrington, M.K. y sus manos de oro, y a Lord Aleric. A todos ustedes, por su ánimo e inspiración. Y a Bram Stoker, pues sin su prosa victoriana los puntos débiles no hubieran brillado con la misma intensidad.

N. K.

"[Drácula es] un necrófilo incestuoso, un enfrentamiento de lucha libre sádico oral-anal [que tiene lugar] en una especie de burdel de locos homicidas dentro de una cripta".

Opinión del psiquiatra Maurice Richardson sobre el clásico de Bram Stoker.

PARTE 1:

MAGDA

CAPÍTULO UNO

Durante los meses que vino a ella, noche tras noche, con la ventana expuesta a los fuertes vientos de la montaña y las pesadas cortinas de terciopelo recogidas a los lados para que la luna lo guiara hasta su cama, Magda nunca le tuvo resentimiento. El conde Tepes era un aristócrata ruso, adusto, un gobernante por naturaleza. Le exigía mucho, asustándola y excitándola al mismo tiempo. Con su rígida disciplina enseñó a Magda a ser sumisa; ella aprendió a adivinar los deseos del Conde y a complacerlo. Todas las noches la perforaba, con los dientes y con su espada de carne y hueso; bebía su joven sangre lenta y eróticamente a través de las heridas que le infligía en la garganta y de las huellas carmesíes que le dejaba en las asentaderas desnudas. Ni cuando Magda se debilitaba y sólo podía encontrar fuerzas en la mirada del Conde, lo odiaba; a pesar de que la palabra amor como la conocía, ya no habitaba en su mente.

La muerte era como un sueño muy necesario que abrazaba a sus exhaustos cuerpo y mente. Cuando Magda despertaba, el guapo rostro del Conde la orientaba. Rasgos afilados grabados con fiereza y orgullo se alojaban en su memoria. El poder de ese pálido rostro la controlaba. Inexplicablemente, estaban unidos. Ella entendía sus órdenes y obedecía sin preguntar. Él presentía sus movimientos, como si todas las noches la rastreara desde la ladera de la montaña hasta el pueblo donde su madre gitana la dio a luz. Pero eso había cambiado. Desde que la transformó, el contacto físico entre ellos se disipó. Eso debió liberarla de sus sentimientos obsesivos, pero no fue así. Los celos la carcomían poco a poco, como gusanos a la carne muerta. Más que nunca quería poseerlo, que la poseyera, tenerlo para ella.

El Conde le aseguraba que las demás no significaban nada. Magda se impresionó cuando trajo a la primera; con la segunda, se dio cuenta de que se había convertido en parte de un harén, como si fueran turcos, cuya religión permite tan paganas vinculaciones afectivas.

Las tres mujeres vivían en una incómoda tregua. De hecho, las otras dos eran aliadas por naturaleza; ambas tenían cabello y ojos oscuros, una era muy delgada y la otra regordeta, aun en ese estado. Pudieron haber sido hermanas, y quizá alguna vez lo fueron. Ahora estas campesinas eran la segunda y la tercera hermana, eternas rivales de la mayor. *La responsabilidad del primogénito es imponer estricta disciplina para proteger los derechos del privilegio,* pensó Magda. Eran dos y ella una; aunque no era fácil para ninguna, con el tiempo se entusiasmó con su papel y las hermanas aprendieron a ceder.

CAPÍTULO DOS

Con frecuencia, Magda pensaba que ya habían pasado dos siglos, aunque parecía menos tiempo. La existencia sin la luz del sol se convirtió en una pesadilla. El hastío apareció. El campo cambió y el alimento ya no era abundante. Las ansias que el Conde le había legado se apoderaron de ella, y por lo tanto la habían llevado al borde de perder el control. Tensa. Enojada. Con ganas de atacar, en especial a él.

Desde hacía mucho tiempo, el Conde parecía obsesionado con los planes para el futuro, y con otros, dejando que Magda pasara noches sola, o con los toscos campesinos que apestaban a brandy y tabaco fuerte, o con las hermanas. En silencio, ella lo culpaba por su estado y odiaba que estuviera preocupado. Fue entonces cuando invitó al inglés a la casa.

—Soy Drácula —ella lo oyó decir de manera seductora—. Bienvenido a mi casa —añadiendo palabras como "con toda libertad" y "a tu entera voluntad".

—¿Es parte de la familia? —Magda le preguntó después, pronunciando las palabras entre dientes.

Pero el Conde la perdonó, algo que no hubiera hecho ni siquiera hace cien años, pues en el acto habría corregido su impertinencia. Su falta de atención la hería; lo odiaba.

También se sentía invadida, hasta que le presentaron al inglés. Era amable, a diferencia de los wallachianos; de cabello rubio rizado y suave piel rosada, que le provocaba fantasías de la sangre corriendo a la superficie a la menor orden de ella. Le besó la mano y su mirada se encontró con la de Magda con inocencia y no con la prepotencia que nublaba los ojos de los lugareños, resultado de luchar contra un difícil terreno montañoso. Este inglés olía bien y usaba ropa ajustada; traía las uñas limpias y cortas. Le enseñó la fotografía de su esposa, Mina, una mujer de mirada seria, bien arreglada, que nunca satisfaría sus pasiones más oscuras, pues Magda reconoció el deseo de la ardiente entrega en sus ojos azules. Era el señor Harker, de nombre Jonathan.

El Conde pasó esa primera noche con el joven; en el estudio, hablando de las intimidades de la vida en Inglaterra; en el gran comedor, observando cuidadosamente cómo comía y bebía; en la habitación.

Otra vez era de noche. Jonathan desafió la advertencia del Conde.

—Puedes visitar cualquier parte del castillo que desees, excepto donde las puertas están cerradas con llave, son lugares que no querrás conocer. Si ves con mis ojos y aprendes con mi sabiduría, quizá entiendas mejor.

El inglés paseaba solo por los antiguos corredores, buscando, sin duda, problemas. Los encontró. Magda lo abordó primero, pero las otras dos le pisaban los talones.

Cuando entró a la habitación iluminada por las velas que estaba en la torre, los ojos se le salieron de las órbitas. Aparatos que databan de épocas tan antiguas como la Edad Media llenaban la mitad del espacio circular; un potro, una dama de hierro, una picota, un poste de azotes, una rueda y media docena más de otros instrumentos de tortura. En la pared colgaba una colección de ganchos, cadenas y poleas intercalada con artefactos bien cuidados —palmetas, látigos de toda clase, agujas para perforar y varas de castigo de muchas especies—. La colección del Conde abarcaba seiscientos años y representaba muchas culturas.

Jonathan parecía impresionado y después encantado de ver a las tres mujeres, vestidas para la noche. Abrió sus rojos labios y una expresión infantil se apoderó de sus inmaculados rasgos. Por instinto, centró su atención en Magda, quien sabía que su cabello rojo, ojos esmeralda y grandes senos, lo cautivaron; la sangre gitana la hacía más voluptuosa en comparación con su escuálida Mina, lasciva y nada bien educada para una sociedad de principios.

Una pícara expresión cubrió las delicadas facciones del inglés y Magda no ignoró el bulto que se formaba en su entrepierna; lo atraparon con las manos en la masa y se anticipó tanto a la masa como a las consecuencias.

Las otras dos lo hubieran excitado, pero Magda se los impidió con la mirada. La regordeta dijo con temor y amarga decepción:

—¡Adelante! Tú vas primero y seguimos nosotras, tienes el derecho a empezar —aceptó su lugar.

—Es joven y fuerte, hay besos para todas —dijo la delgada, con un tono insolente del que después se encargaría Magda.

—Al mismo tiempo —les informó Magda, sintiendo una inexplicable generosidad.

De la pared tomó una palmeta ovalada, de madera y mango largo.

—Ven conmigo —dijo, abriéndole los brazos a Jonathan, quien al principio avanzó con rigidez, pero conforme aumentó la expectativa, aceleró el paso.

Magda le quitó el abrigo, el cuello y la corbata; los botones de la blanca camisa se deslizaron con facilidad a través de los ojales y le jaló la apretada ropa hacia abajo, dejándole los brazos atrapados.

—Nunca había conocido a un inglés —ella murmuró y su pene se hinchó más. Magda pasó una mano por la tibia piel, por los escasos y sedosos vellos del pecho. Encontró una vena azul que iba desde allí hasta la garganta; la siguió con el dedo y dejó que éste descansara en ella como si fuera de su propiedad. La vibración hacía eco en su cuerpo, en sus genitales y regresaba al estómago, que contrajo con hambre y lujuria.

—Señor Harker, se ha portado mal —susurró.

El cuerpo del inglés tembló y las otras mujeres se rieron. Era alto y Magda lo obligaba a bajar el rostro hacia sus senos, sus pezones carmesíes crecían bajo el vaporoso vestido escotado.

—¿En Inglaterra castigan a los que se portan mal?

Asintió con la cabeza. Las hermanas se rieron histéricas.

—Aquí en Transilvania sabemos castigar a los que se portan mal. Con severidad.

La vena la llamaba, prometiéndole una cálida sensación carnal. Las otras mujeres se acercaron y despojaron a Jonathan del pantalón. Un cuerpo firme, delgado, pero con cierta debilidad que deseaba atención. La hermana delgada colocó una mano en la velluda entrepierna, y la regordeta se restregó contra una de sus nalgas sin vello. Magda golpeó su desnudo glúteo seis veces con la palmeta hasta que se estremeció. Se imaginaba que la piel le ardía y se le enrojecía, eso la excitó.

La boca de Jonathan se encontró con uno de los pezones de Magda; lo tomó entre los dientes y lo azotó con la lengua, después lo chupó con fuerza. Ella dejó caer la cabeza hacia atrás y con la palmeta que tenía en la mano, automáticamente le recorrió las desnudas asentaderas. El inglés gimió y se estremeció en la pared de piel que lo tenía prisionero.

La vena que estaba bajo el dedo de Magda latió con más fuerza. Se elevó la temperatura de la piel de Jonathan y la transpiración salía de sus poros, se asió de la falda de satín de Magda y la levantó para acariciar sus heladas caderas, muslos y bien formadas nalgas. Deslizó un dedo por la abertura de éstas hasta que llegó al ano y se detuvo. La expectativa la hizo temblar. La hermana delgada le guio la otra mano hacia su montículo; penetró con rapidez el orificio y el capullo rosados. Al mismo tiempo, la regordeta se frotaba contra una de las piernas del inglés. Magda lo golpeó fuerte y con ganas, él gimió, gotas de transpiración le cubrieron la frente.

—¡Abajo! —le ordenó. Jonathan abrió las piernas al escucharla hasta que su pene se acomodó en la parte inferior de ella. La hermana delgada lo acarició de la punta a la base, llevándolo hacia la hambrienta vagina de Magda.

Ésta sintió que la vena iba a estallar bajo la piel en busca de sus dientes, ansiosa por encontrarse con su destino. Se mojó los labios y los dirigió hacia el cuello de él. Ante la suavidad de su boca, la vena saltó feliz.

La cabeza del pene de Jonathan entró en ella y su vagina la acarició. La punta de sus caninos encontró la vena, que se mecía bajo su filo, ansiosa de ser perforada. Al mismo tiempo, Magda movía la palmeta, acariciándole sólo un glúteo. El cuerpo de Jonathan temblaba por la tensión combinada.

—¡Ponte erecto! —le ordenó. Se enderezó y su pene se hundió en ella, despegándola del suelo, llenándola de piel ardiente.

De repente, todo cambió. La temperatura se desplomó; el aire apestaba a furia desatada. Un rugido perforó los oídos de Magda.

—¿Cómo se atreven a tocarlo? ¡Este hombre me pertenece! ¡Háganse para atrás o se las verán conmigo!—gritó el Conde. Las mujeres se alejaron de inmediato, pero Magda se aferró a Jonathan, en su interior, negándose a dejarlo ir.

El Conde los separó con brusquedad. Jonathan abrió la boca, pero antes de que pudiera hablar, lo tiró de un empujón. Las hermanas se pegaron a la pared, abrazadas.

Magda, que muchas veces había probado la furia del Conde, lo atacó. No podía creer su atrevimiento.

—Lo trajiste para satisfacer tu placer—gritó—. ¿Y nosotras? Nunca amaste, ¡jamás amas!

Estas palabras lo hirieron profundamente, eso era claro. Magda pensó que había visto cruzar por su rostro una expresión de arrepentimiento, que de inmediato cambió.

—Sí, yo también amo. El pasado te lo demuestra.

—¡El pasado! —dijo Magda con desdén—. Para ti el pasado es la prisión donde aprendiste muy bien de los carceleros turcos. —Las hermanas se rieron— ¡Rameras! —les gritó— ¡Voy a darles una paliza!

—Ahora eres la matrona de mi hogar, qué curioso.

—Nada curioso, simplemente has estado muy ocupado para notarlo.

—Bueno, ahora me doy cuenta, y por lo que presencié esta noche, que careces de habilidad. Tal vez olvidaste tus lecciones.

—Me gradué bajo tu tutela.

—¿En serio? Ya lo veremos.

—Amo —lloriqueó la regordeta—, ¿no hay nada para nosotras esta noche?

Les entregó un costal en cuyo interior había una criatura que ululaba. Las hermanas se abalanzaron sobre él.

El Conde se volvió hacia Magda y la fulminó con sus negros y helados ojos. Sintió cómo le penetró el alma, desnudando sus deseos secretos, tanto tiempo resguardados. De repente, se puso nerviosa. ¿Por qué lo había retado así? Olvidó su lugar. En el instante supo que pagaría por su insolencia, y pagaría muy caro. La invadió la excitación, empañada por el terror.

En silencio, el Conde señaló algo en la habitación. Magda sabía lo que le esperaba y el pánico la congeló. Como no se movía, él gritó:

—¡Suficiente! —le arrancó el vestido del cuerpo, la tomó por el cabello y la llevó a rastras hacia la pared.

Una vistosa montura de piel, como las que se usaban en Turquía en el siglo XVI, estaba atornillada a un potro angosto de metal. La aventó sobre la montura, boca abajo. En segundos, le separó las extremidades y le aseguró muñecas y tobillos a las patas del potro.

—¡A los sótanos! —le ordenó a las hermanas, quienes salieron corriendo, llevando el costal con ellas.

El Conde levantó al impresionado Jonathan y se dirigió a Magda.

—Creo que he sido negligente con mis obligaciones como Amo de este castillo. Necesitas atención íntima desesperadamente—. Una malévola sonrisa se dibujó en sus bien delineados labios, dejando al descubierto las puntas de dos filosos dientes. Ella había olvidado esa sonrisa, pero al instante la recordó. La hizo temblar de miedo y expectación. —Por supuesto, aquí esperarás por mí. Volveré, ni lo dudes. Y cuando lo haga, todo lo que está mal se corregirá bien y por completo.

Sacó a Jonathan de la habitación; de camino a la puerta, tomó de la pared un grueso pene falso marroquí y un puñado de varas de sauce. *Para Jonathan*, pensó Magda celosa, odiándolos a los dos.

Capítulo Tres

Magda yacía sin poder moverse, con los glúteos al aire y la piel muy estirada. El Conde había diseñado el potro con tres anillos en cada pata y correas de cuero en cada arillo; la altura de éstos correspondía a la medida de cada una de sus tres esposas. Correas adicionales le abrían los muslos.

Décadas habían pasado desde la última vez que Magda estuvo en esta posición. Cuando llegó, antes que las hermanas y antes de que el Conde empezara a llevar a la casa a los campesinos de las aldeas a las que llegaba después de la puesta de sol y de las que desaparecía antes del amanecer, antes de que invitara a los ingleses, Magda había visitado muchas veces ese animal de dolor. El hecho de que fuera vampiresa no la salvaba del látigo que él le aplicaba religiosamente en las asentaderas. Es más, después de que la transformó, la golpeaba con más fiereza. La sensación se intensificó y aumentó su resistencia al dolor. Había aprendido no sólo a soportar, sino a aceptar los castigos que con anterioridad le infligía. Como su nuevo estado permitía que las heridas sanaran por completo en dos días, el Conde aprovechaba la gran oportunidad de poner en práctica sus predilecciones. Así fue, al menos, hasta que sus ocupaciones le impidieron encargarse de ella.

Pero Magda siempre había odiado este potro, pues no sólo la atrapaba con fuerza, sino que la exhibía por completo, invertida, con los grandes senos frente a la cara, las extremidades abiertas y estiradas, las nalgas listas para las palmetas o el látigo, con ambos orificios igual de dispuestos para satisfacer el placer del Conde, quien con frecuencia se complacía con los dos. En esta bestia de metal se sentía muy vulnerable, indefensa, en espera de los despiadados castigos de su Amo. Y él lo sabía.

No lo escuchó entrar, pero sintió su presencia, como siempre. El aire de la habitación se volvió denso, como si el nivel de humedad hubiera aumentado. De repente, lo vio con claridad de cabeza. Un hombre alto, fuerte, con largo cabello negro y bigote, y barbilla definida. Incluso desde ese ángulo, Magda percibía su rígida postura, la tensión de sus extremidades. A lo largo de su vida, había sido un famoso caudillo, héroe para algunos, monstruo para otros, invencible en la batalla, de espíritu indomable entonces como ahora. Después de tanto tiempo de estar con él, y a pesar de su cruel descuido, le sorprendió descubrir que sus pezones se ponían firmes; todavía le parecía irresistiblemente atractivo.

En la pared que estaba atrás del Conde había una pequeña ventana rectangular con vidrios entintados color carmesí que no ocultaban la negrura total del cielo. Él se dio cuenta de que veía a la ventana.

—Faltan muchas horas para que salga el sol. Vas a disfrutar de un largo paseo en tu bestia favorita.

—Amo, por favor perdóname...

—Magda, me decepcionas —se acercó a ella—. Nada aprendiste de las dolorosas lecciones que te di.

—Muy pasado —dijo con amargura, pero de inmediato deseó haberse mordido la lengua.

—Sí, quizá hace mucho. Ahora entiendo que la letra con sangre entra. Pero eso se solucionará muy pronto.

Se acercó más y el ángulo de visión de Magda perdió su cabeza, hombros y pecho, hasta la cintura; sólo lo veía de la cadera hacia abajo. Traía puestas altas y lustradas botas y pantalón de montar de gamuza, ambos negros; nunca vestía una pizca de color. Percibió el gran bulto que crecía bajo el pantalón de gamuza y sintió que el dolor de la añoranza le invadía el cuerpo. ¡Maldito sea por haberla ignorado tanto tiempo! No se lo perdonaría.

—Había olvidado tus encantos —dijo—. Una fría mano le recorrió una nalga, y luego la otra, hacia abajo y otra vez hacia arriba. Este movimiento suave y circular la tranquilizó. —Magda, ¿recuerdas la primera vez que vine a ti?

Hacía mucho tiempo que no recordaba esa noche.

Su padre estaba de viaje en Budapest y su madre había ido a visitar a una prima del otro lado del pueblo.

Magda tenía 18 años y todavía era virgen, de piel cremosa, suave, y cabello rojo. Como se negaba a guardarse sus pensamientos para sí, no era popular, aunque muchos de los jóvenes pasaban por alto su carácter. Pero a Magda le parecía que les faltaba algo. Eran criaturas toscas que se dirigían a ella de manera vulgar. Los rechazaba a todos. Sus padres, intimidados por su fuerte voluntad, no sabían qué hacer con ella, y a su madre le preocupaba que nunca se casara.

Una noche de luna llena, justo en la primera helada, Magda tuvo un sueño, o eso creyó. El cielo se oscureció, como si mil murciélagos hubieran cubierto la luz de la luna y de las estrellas; el aire se volvió frío y la hizo temblar, aunque en algunas partes de su cuerpo sentía calor. Abrió los ojos. Del otro lado de la ventana había un hombre parado, viéndola. Sus ojos eran dos carbones ardiendo y sus facciones oscuras y siniestras. Abrió la boca para gritar, pero entonces, por una razón desconocida, la cerró.

Antes de que pudiera pensar qué haría, él ya estaba en la habitación, junto a la cama, quitándole las cobijas. Magda vestía un camisón liso de algodón, blanco, que le cubría todo el cuerpo. Él se lo levantó de los tobillos despacio, como si le quitara la cáscara a una fruta. Tenía las manos heladas y ella temblaba. Debería salir corriendo y buscar a su mamá...

Le acomodó la delgada pieza de algodón alrededor del cuello; Magda observó su desnudez, sus firmes pezones, su vientre plano, el montículo de vello rojo, avergonzada por la presencia de este extraño. Era obvio que se trataba de un aristócrata, rico, por las finas ropas que vestía. Sus ojos recorrían de arriba abajo el bien formado cuerpo de la joven, quien sintió que el calor le picaba la piel. Ya no tenía los ojos rojos, sino negros y misteriosos; la mirada no revelaba nada que no quisiera revelar; un rostro atractivo, de manera cruel, en especial la boca. La idea de que no podría rechazarlo con facilidad la emocionó.

Él extendió una mano.

—¡Ven!

De mala gana lo tomó de la mano, se sentó y después se levantó.

Más tardó ella en levantarse que él en sentarse. Le atrapó ambas muñecas con una mano y con rapidez la jaló hacia su regazo, le levantó una pierna, así que ella, incómodamente, separó el muslo izquierdo. Dio un gritó ahogado, asustada, sus pies no tocaban el suelo sin que levantara las asentaderas al aire.

—¿Qué cree que hace, señor? —le preguntó, luchando por recobrar un equilibrio que no tenía.

Él se rio, un sonido fuerte y severo que le tensó los músculos.

—Eres impertinente —le dijo—, hay que domesticarte. —El camisón había vuelto a caerle en los tobillos cuando se puso de pie. Esta vez, le levantó la tela aproximadamente hasta la cintura, dejando al descubierto las asentaderas desnudas.

Le acarició los glúteos, hacia arriba y hacia abajo, del otro lado y hacia abajo, después en círculos, su tacto era reconfortante y sensual.

—*Mi madre no tarda en llegar a casa* —*dijo con desgano*—. *Váyase antes de que regrese y olvidaré todo el incidente, de lo contrario mi madre lo reportará con las autoridades.* —*Así no eran los sueños. Las enormes manos de él se sentían suaves y tibias en las nalgas de ella, quien se relajó a pesar de que empezó a sentir cosquillas en la piel.*

Volvió a reírse.

—*¿Y quiénes son esas autoridades?*

—*El mismo conde Drácula, el regente de Transilvania. Ése que gobierna las montañas con justicia, pero mano firme, él.*

—*¿Y si te dijera que yo soy el regente?*

—*Le diría mentiroso.*

—*Tu lengua no conoce límites, tampoco tus castigos.* —*El humor había desaparecido de su voz por completo. Magda se asustó.*

Sosteniéndole aún las muñecas con una mano, se quitó el sombrero de lana de cordero y se lo colocó frente a la cara. El emblema que tenía al frente era un dragón. De repente, la joven recordó dónde había visto ese escudo.

—*¡Dios mío!* —*balbuceó*—. *Usted es Drácula, hijo del dragón, regente de los montes Cárpatos. Perdóneme, señor, no lo sabía.*

—*Ahora ya lo sabes y también te digo esto: Me perteneces en cuerpo, mente y alma, y mi intención es disfrutar de mi propiedad.*

Volvió a llevar las manos a las asentaderas de Magda, deslizó un dedo por la ranura que las separaba; ella sintió que la vergüenza le enrojeció la cara cuando él se detuvo en su ano y después se movió hacia abajo, brindándole un momento de falso alivio. El calor le inundó el vientre.

Con tres dedos le exploró la abertura de su feminidad, un área que nadie más había tocado, ni siquiera ella. Arqueó la espalda cuando los dedos la penetraron. No le dolió, sólo cuando la penetración fue más profunda, pero sintió una sensación de cosquilleo nueva para ella. Esos dedos en su interior hicieron que la cara y el pecho se le ruborizaran, le aceleraron la respiración, y no sabía por qué.

Cuando él sacó los dedos, Magda sintió que le habían arrebatado algo que era de ella, pero no por mucho tiempo. Al poco tiempo, un dedo entró en el otro orificio, y se tensó. Sin demora, le penetró el ano y también lo exploró. La joven se retorció con ese examen, deslizándose y resbalándose en la pierna de él, la vergüenza dio paso a la humillación. Regente o no, no tenía derecho a invadirla así, y estaba a punto de decírselo.

Sacó el dedo y ella volvió a experimentar esa sensación de vacío.

—Sí estás fresca, por fortuna para ti, pues de lo contrario hubiera creído que había perdido mi tiempo, aunque en mi caso éste se ha alterado.

Magda no entendía a qué se refería.

—Contéstame con la verdad, niña. Tu piel es suave y no tiene marcas. ¿Tus padres no usan el látigo o la palmeta para controlar tu rebelde naturaleza?

Estaba impresionada.

—Señor, mis padres son buenos, creen más en la razón que en la violencia. Nunca en mi vida me han castigado físicamente. —De hecho, sus padres, a diferencia del resto de los padres del pueblo, se negaban a levantarle la mano a su hija. Ése era otro motivo por el que la familia era vista con recelo.

—Interesante —Su voz se volvió fría y dura, congelándola hasta la médula—. Pero eso va a cambiar cuando la luna cruce el cielo esta noche.

Magda pensó que se había encontrado con un enorme muro que le cerraría el paso. No había escape y tampoco sabía cómo rendirse a su destino.

Él enrolló la punta del camisón y se la metió en la boca a Magda para que aunque gritara, nadie la escuchara. Ahora parecía imposible que alguien la rescatara. Estaba a su merced y esperaba que mostrara algo de piedad a una inocente como ella.

Las manos de él acariciaron con más fuerza las nalgas de Magda, provocándole ardor en la piel, y ella se sobresaltó. Un sonido sordo escapó de su boca. La sensación le era desconocida pero no desagradable. Por un momento, sintió la huella tibia de una mano en su trasero, y después el calor que ésta irradiaba. Aún no tenía equilibrio porque él la asía de manera incómoda, y luchar por acomodarse sólo le elevaba los glúteos al aire, como si rogaran que los golpearan. La siguiente nalgada llegó rápido, seguida de una tercera y una cuarta. En poco tiempo, los golpes llovieron sobre sus inmaculadas asentaderas.

Magda corcoveó y montó la pierna de Drácula, con el trasero tenso, luchando por evitar más nalgadas fuertes, pero no había a dónde ir. Su mano era como una roca; parecía que sabía dónde golpear exactamente para provocarle mayor dolor. Y la golpeó. De manera impredecible, continua. Le suplicó que se detuviera, pero tenía la boca llena de tela y no la entendía, o no quería hacerlo. Como la lucha externa demostró ser inútil, decidió resistir desde su interior.

Golpeaba los glúteos por separado, con agresividad, más fuerte en la parte inferior, la palma de la mano se le resbalaba por la ranura. ¡Esto no puede seguir! Pensó. Ya hacía rato que el ardor era incómodo y estaba volviéndose insoportable. ¡En cualquier momento despertaría de este sueño! Y si no era un sueño, su madre no tardaría mucho en llegar y le pondría fin a esto. En su desesperación pensó: ¡Seguro va a cansarse!

Pero no despertaba, su madre no regresaba y él no se cansaba, al contrario, le pegaba con más fuerza. Tenía calientes las asentaderas, el ardor era más intenso, las lágrimas le inundaban los ojos y gritos sordos ahogaban su garganta. No soportaba el calor ni el agudo dolor que le provocaba. Él le pegaba y le pegaba, ella lloraba y lloraba, pero estaba decidida a no desmoronarse con rapidez. Y de repente, la resistencia en su interior cedió. En el momento en que aceptó para sí que él la controló, se detuvo.

El trasero le pulsaba con tortuoso calor. Si tan sólo le echara agua fría para aminorar el ardor.

La recostó en la cama, de espalda. Los toscos cobertores de lana le arañaban la piel viva e intentó sentarse, pero él se lo impidió con su peso.

A pesar de verse joven, era robusto y tosco. Magda sintió que el aire se le escaparía de los pulmones en cualquier momento y se ahogaría. Los labios de él le atraparon el pezón izquierdo, lo chuparon y lo jalaron. Lo torturó hasta que quedó adolorido, se hinchó y ella gimió, oprimiendo por instinto su muy golpeado trasero en la sábana.

Mientras le sostenía las cautivas muñecas sobre la cabeza, con las rodillas le separó las piernas. Le quitó la tela de la boca y con sus anchos labios cubrió los de ella. Sabía a cobre y a hombre, le invadía la boca con la lengua, llenándola de una nueva sensación. Magda no podía creer que estuviera rindiéndose a esto y ahora sí le preocupaba que fuera a despertarse, o que su madre llegara, o que él dejara de hacer lo que estaba haciéndole.

Se acercó y ella sintió que algo salía de su pantalón. Era grande, de carne; de punta redonda y firme.

Él usó la mano para meterlo en la ranura abierta de Magda.

—¡Señor, no lo haga! —Respiró, aterrada.

Se detuvo, sorprendido por esas palabras.

—Si no te castigué lo suficiente, sólo tienes que pedir más.

—Señor, me dejó el trasero en llamas. Lo que quiero decir es que soy virgen, como sabe, y va a deshonrarme.

—¿Es una deshonra que el regente rompa tu himen?

—Sí, mi señor, digo no. Pero quizá nunca me case...

—¡Silencio! O esta noche sentirás un ardor más fuerte que el que ya sientes.

Colocó su vara de carne en la abertura de Magda. Antes de que hubiera pasado un latido del corazón, la penetró y su duro pene derribó la muralla de la infancia.

Magda gritó. El dolor de los glúteos se mezcló con el de su virginidad rota y ardió en llamas, su cuerpo se encendía mientras él estallaba en su interior, alimentando el fuego, dejándola indefensa y a merced de éste. Le perforó la garganta en el momento que menos lo esperaba, aunque sintió un ardor punzante que identificó hasta el día siguiente.

En la mañana, Magda se paró frente al espejo. Sus ojos esmeraldas nunca habían brillado así y sus mejillas jamás habían estado tan coloradas. Examinó

su cuerpo, grandes senos, delgada cintura y cadera re-
donda, el cuerpo de una mujer. Sus glúteos eran rojo
intenso, los vio llenos de una vida que no sabía que
corría en su interior y su vagina tembló.

Ocultó las heridas del cuello con un chal. En los
siguientes días, cuando tenía que sentarse, recordaba
la noche de pasión con su amante demonio. Le daba
miedo no volver a verlo, nunca ceder otra vez a su
fuerte voluntad. Se aferró a las emocionantes palabras
que pronunció al irse, justo antes de que saliera el sol:
"Esto es sólo el principio, mi bella Magda, el lindo
inicio de una eternidad de dolorosos placeres que te es-
peran. La eternidad es una noche infinita y por suerte
soy un hombre de mucho mundo, hábil para adaptar-
me y aplicar técnicas de una variedad de culturas. Mi
imaginación no tiene límites, como ya lo comprobarás.
Eres un lienzo en blanco en el que pintaré obras eró-
ticas durante mil años".

Un dedo se clavó en el ano de Magda. Asustada, gritó
por el dolor y la impresión.

—Siempre fuiste sensible —dijo metiendo y sacando
el dedo con fuerza— pero, según recuerdo, ansiosa por
las tundas. Me desobedeciste, Magda, y voy a castigarte.
¿Cuál es tu favorito?

Era un antiguo juego, uno de estimulación erótica.
Le hacía creer a Magda que tenía el control de su propio destino. Inmovilizarla en el potro del dolor era su
manera de asegurarle que estaba equivocada. La idea de

volver a ser controlada le trajo un recuerdo demasiado intenso para soportarlo; supo qué le faltaba. Una sacudida de deseo la invadió por primera vez en mucho tiempo, y su recto se contrajo de manera involuntaria alrededor del dedo del Conde.

—Te volviste una mujer fría, tu piel desea calor, un calor que sólo yo puedo proporcionarte con eficacia. —Le sacó el dedo del ano y se sintió vacía—. Voy a azotarte, Magda, con más severidad que nunca. Necesitas disciplina. Hoy recibirás un poco de ella y mucha más en las próximas noches. ¿Entiendes?

—Sí, señor —dijo con voz temblorosa.

—¿Cuál es tu favorito? —volvió a preguntar.

Le temía a todos los crueles instrumentos. Las paredes estaban atiborradas de palmetas de cuero y de madera, correas gruesas y delgadas, látigos de una sola cuerda y de muchas cuerdas con nudos, varas de metal, pinzas y objetos del Lejano Oriente, hechos con material del árbol del caucho. Cada uno, lo sabía por las experiencias que volvían a su memoria con rapidez, provocaba un dolor único. Un amo disciplinario podía usarlos todos convincente y creativamente. El Conde era un amo tal. Pero Magda sabía que había esperado mucho para responder.

—¿Tu silencio es un grito de ayuda o necedad? De cualquier manera, tu necesidad de castigo es mayor de lo que sospechaba. Quizá algo íntimo te hablará con más fuerza.

El Conde se hizo hacia atrás para que Magda lo viera del pecho hacia abajo. Se dio cuenta de que se desabrochó el tosco cinturón negro que usaba, y lo deslizó por las presillas del pantalón. El cinturón estaba hecho con la gruesa piel, teñida de negro, de un animal africano. Gruesos pelos cortos aún se encontraban clavados aquí y allá en el cuero, como rastrojos de una barba. El cinturón era tan duro, que no podía ni doblarse por la mitad.

Esperó.

—¿Se te olvidaron las palabras, Magda? —Hizo una pausa, después suspiró, y habló con voz resignada—. Eres testaruda y estás llena de resentimiento. Ahora me doy cuenta de que te fallé. Quizá he estado preocupado, pero a partir de esta noche todo va a cambiar. Repite: "Amo, castígame con severidad".

Le costó trabajo. Mucho trabajo. Su boca apenas podía formar las palabras.

—Amo, castígame con severidad.

—¿Cuánto voy a castigarte?

—Mucho.

—¿Por cuánto tiempo?

—El tiempo que consideres necesario, señor.

—¿Y con cuánta fuerza?

—Hasta destrozarme el orgullo.

El cuero se estrelló en el trasero de Magda. Su cuerpo saltó para protegerse, pero las ataduras evitaron que se moviera. Volvió a pegarle. Otra vez. El calor quemó su sensible piel, que ya no estaba acostumbrada a esos besos. Como tenía las extremidades totalmente abiertas, el cuero le acariciaba el ano y los delicados pliegues carnosos del orificio de los genitales externos. Aulló de dolor.

¡Pum! ¡Pum! La rígida correa le quemaba, añadiéndole leña al ardiente fuego. Le azotó el pesado cuero con más fuerza de lo que recordaba de golpizas anteriores, pero había pasado tanto tiempo, que ésta era como la primera vez.

Lágrimas escaparon de sus ojos y gritos de sus labios, mientras el cinturón la atacaba sin piedad.

—¿Quieres más, Magda?

Si respondía *no*, se condenaría.

—Si lo crees necesario, Amo —lloró.

—Lo creo necesario.

La correa golpeó la parte superior de sus glúteos. El Conde había tenido buena puntería toda la vida y la eternidad únicamente la perfeccionó. Se ocultaba tras el cuero para azotarle las nalgas, hasta que Magda sintió que se le abría la piel. Gritó para que le tuviera piedad pero, como siempre, no lo convenció. Y justo cuando creyó que no soportaría más, siguió con la parte inferior, donde el cinturón también tocaba el orificio de sus genitales y provocaba que la piel de su trasero hirviera.

Magda gritaba en agonía mientras el Conde la desollaba; sólo la parte superior de su cuerpo se retorcía con el ardor de los golpes, que parecían no tener fin. El rojo cabello se le estrellaba en la cara y los grandes senos saltaban sin control, los pezones le dolían mucho.

El Conde se dirigió a la nalga izquierda, golpeándola hasta que logró sacarle otro grito. Entonces se cambió al glúteo derecho, dejando que el peludo cinturón marcara su molestia en la piel de Magda. Cuando regresó a la parte media del trasero, primero le dio un latigazo de un lado y después del otro, asegurándose de que ninguno de los dos glúteos se escapara y de que el ano estuviera bien atendido. Por último, usó sólo la punta del cinturón para recorrer con destreza la longitud de la abertura que separa las nalgas, deteniéndose largamente en el ano, hasta que Magda gritó, y después en los suaves pliegues que conducían al interior de su feminidad. Los gritos resonaban en los muros circulares. Los recuerdos le confirmaban que nada de lo que dijera o hiciera lo detendría. Estaba a merced de un ser despiadado. En el momento que aceptó esa verdad, el cuero se quedó quieto.

Ríos de lágrimas le nublan la vista; apenas si lo veía. El trasero le ardía como si la piel teñida de rojo lanzara llamas. En los oídos le retumbaban sus propios gritos y le picaba la garganta, pero sabía que el final aún no estaba cerca.

A través de su borrosa visión, se dio cuenta de que estaba desnudo; tenía el pene erecto, más largo y más grueso que el de Jonathan, y con mucha más experiencia, duro como una roca; y a pesar de su agonía, Magda se sentía orgullosa de provocar todavía ese efecto en él.

—Tómame, señor —Su voz era apenas audible, pero sincera—. Por donde te plazca.

—Aprendiste bien.

El muy caliente pene del Conde encontró la ardiente abertura de Magda; cuando tocó su quemada piel externa, ella dio un grito ahogado. Había pasado tanto tiempo desde la última vez que la penetró, que sentía que su orificio se había cerrado y había vuelto a ser virgen. La cabeza del pene empujaba, como un firme e insistente golpe en la puerta. Antes de que Magda pudiera abrirse al Conde, él irrumpió en ella; toda la extensión de su firme y larga vara la penetró, haciéndose espacio entre las paredes internas. Lentamente, salió por completo del interior de Magda y volvió a entrar con rapidez, arrancándole de la garganta gemidos más profundos y desgarradores. Cada penetración extrema, le provocaba dolor extremo y placer. El Conde le deslizó un dedo por el despabilado ano, después dos y luego tres; los gemidos aumentaron en volumen.

—Amo, lo que te dé placer, ¡cualquier cosa!

Le apretó uno de los lastimados glúteos con fuerza, provocándole otra ráfaga de dolor; la vagina de Magda se contrajo alrededor del Conde. Su cuerpo se estremecía de placer conforme se incrementaba la velocidad de la penetración. Sus paredes lo envolvieron, trabajaron con él, enviando olas de deleite que le recorrían la ardiente parte externa de sus genitales y ano, hasta que sintió que iba a enloquecer con la sensación. El acto carnal parecía eterno. Cada vez que la penetraba, sus pliegues se separaban sumisos, y cuando se retiraba, lo acompañaban a la puerta; el túnel se tensaba para la siguiente penetración. Él la montó con fuerza y ella cabalgó en el oscuro potro del dolor; sus glúteos eran un infierno y sus genitales externos estaban a punto de explotar. Su galope se convirtió en un recorrido apasionado, cuerpos que trabajaban juntos para llegar al momento en el que el dolor y el placer inexplicablemente se mezclaban y emergían.

Magda gritó en éxtasis al tiempo que el Conde derramó en su ardiente cuerpo un refrescante arroyo.

Capítulo cuatro

D ebió quedarse dormida; el punzante dolor en sus asentaderas la despertó. Estaba sola, seguía bien atada al potro de metal. La ardiente piel de sus glúteos la calentaba como fuego en una fría noche, y le recordaba la manera en la que el Conde la poseyó. Sus genitales externos y su ano estaban lastimados a causa del acto. Pensar que el erecto pene del Conde la controlaba hacía que en su interior se produjeran secreciones.

Si no la amara, ¿se hubiera molestado en darle un buen castigo? ¿Su pene la habría hecho olvidar la ira y el resentimiento? Aún la quería.

Magda sintió que esta certeza la llenaba. Soportaría cualquier dolor. Ansiaba la siguiente lección, ¿acaso no dio a entender que habría más? Se entregaría a él una y otra vez para que los golpes la llevaran al frenesí del dolor y la lujuria, para rendirse al final. Eso era lo que extrañaba, lo que añoraba. Jonathan parecía un niño, sus intentos por actuar como la señora eran un juego inocente. La disciplina firme y eficaz del Amo había hecho que corrigiera el camino. El fin justifica los medios, había oído decir con frecuencia. Ahora entendía cuál era el verdadero centro de su ser. De repente, se rio, sintió que su ardiente fin era la justificación de los medios del Conde.

Sin que se diera cuenta, el Amo volvió y el inglés con él, desnudo, portando sólo lo que parecía ser tirantes de cuero, que le salían de la ingle, subían por su estómago y cuello, donde formaban un collar de cuero y de donde se sujetaban.

Jonathan miró fijamente el trasero de Magda, con la boca y los ojos bien abiertos. ¿Para qué habrá traído el Amo a Harker? ¿Para humillarla? ¿Para demostrarle al inglés que el verdugo se había convertido en el sumiso? Magda sintió que la vergüenza provocada por la presencia del extraño le ruborizaba el rostro. ¿Pero él no era parte de los medios que la llevarían al fin que esperaba lograr?

El Conde se dirigió al inglés.

—En alguno de tus libros ingleses, aparece la historia de un maestro de escuela de Ámsterdam, que cree en el castigo físico y que presume haber "resuelto el asunto de la rebelión estudiantil". Dime, Jonathan, ¿asististe a un internado?

Jonathan, que seguía atento a los glúteos de Magda, asintió con la cabeza.

—¿Antes de venir aquí quedó resuelto tu problema de rebelión?

Jonathan movió la cabeza.

—Pensé que no. A diferencia de Magda, no estás familiarizado con las virtudes de los golpes. Somos un pueblo antiguo y atrasado, en esta parte del mundo, y por lo tanto debemos aceptar el conocimiento que nos brindan muchos lugares, incluyendo el tuyo —El Conde caminó hacia la pared y tomó una vara de sauce, importada de Inglaterra. La latigueó en el aire y Jonathan saltó. El sonido hizo que Magda se estremeciera. ¡Estaba segura de que no volvería a pegarle! ¡No en presencia del inglés!

Jonathan, que se veía pálido y exhausto, nada dijo. Por su cara, Magda sabía que tenía el trasero en llamas, más rojo que el de un mandril. Aunque al inglés le escurría sangre de dos heridas que tenía en el cuello, aún no estaba convertido; por la palidez de su rostro, Magda deducía que el Conde había tomado mucho de su fluido vital.

—Siéntate aquí, señor Harker —ordenó el Conde, señalando la vara—. Observa y aprende nuestras simples costumbres transilvanas.

Jonathan se sentó con cuidado en una otomana de cuero color caqui. En el pasado, Magda estuvo muchas veces en ese asiento, donde recibió buenas tundas con una vara muy parecida a la que sostenía el Conde. También era el lugar donde éste se sentó cuando le ordenó a Magda que se pusiera en cuatro patas, con la cabeza agachada y el trasero levantado. Mientras él le azotaba los glúteos desnudos con una vara, o a veces con un fuete turco, ella tomaba su magnífico pene y se lo metía a lo más profundo de la boca. Esas deliciosas épocas se habían acabado mucho tiempo atrás, sin embargo, lo que sucedió esa noche, revivió sus esperanzas sobre el futuro. Como si le hubiera leído la mente, el Conde dijo:

—Magda, el señor Harker desea ver cómo te sometes a la vara.

Se dirigió al potro del dolor, agitando la vara en el aire una y otra vez. El sonido hacía que sus glúteos se movieran a la expectativa, aunque le provocaba un helado estremecimiento en el pecho.

—¿Te azoto frente al señor Harker?

—Como quieras, Amo —susurró, avergonzada, aterrada de que lo hiciera, temerosa de que no.

Magda escuchó que la vara de sauce cortó el aire un segundo antes de sentir que le cortaba el trasero en diagonal. Su lastimada piel se reanimó con este nuevo dolor. Se dio cuenta que se le endurecieron los pezones y sintió que sus genitales producían secreciones. El Conde azotó la vara en sus glúteos de izquierda a derecha y viceversa, y después le golpeó los muslos una docena de veces. Se mordió el labio, pero no podía dejar de gemir.

Harker observaba embelesado.

—Esta noche, Magda, tengo algo que te gustará. Un Amo debe imponer disciplina con frecuencia y creatividad para la edificación del espíritu de los involucrados. Se requieren nuevos e inteligentes pasatiempos. Verás, mi querido señor Harker no sabe qué aburrida te has vuelto, pero yo sí. He permitido que suceda esto y es mi responsabilidad corregir el error, administrando con frecuencia castigos rigurosos. No puedo permitir que continúe esta situación. Has sufrido mi descuido.

—Mi señor, ya no sufro.

Los labios que estaban bajo el oscuro bigote, dibujaron una ligera sonrisa, dejando al descubierto las filosas puntas.

—Ya veremos.

Atrás de él, a través del vidrio entintado de la pequeña ventana, la única que había en la habitación, vio que el cielo estaba clareando. No faltaba mucho para que saliera el sol.

—¿En qué piensas, querida?

Era inútil ocultarle sus pensamientos.

—Debemos volver a nuestro descanso pronto, señor, antes de que salga el sol.

—¿Y?

Dudó.

—También estoy muy sensible para recibir más castigos hoy. Debo sanar para ofrecerte un lienzo limpio en el que puedas hacer tus exigentes pinturas.

—Estoy de acuerdo con esto último, y con lo primero sólo concuerdo en teoría —dijo—. Verás, el señor Harker aceptó continuar pintando durante el día, cuando yo no puedo tomar el pincel.

La humillación de pensar que Jonathan usara la vara de sauce en ella le provocó náuseas, aunque se sintió curiosamente excitada. ¿Cómo la castigaría a plena luz de día? Quizá podrían llevar al inglés a la cámara secreta donde duermen.

—Magda, tu necesidad de, y tu capacidad para disfrutar el dolor siempre me ha impactado. Cuando el sol salga, me impresionarás todavía más. Soportarás una agonía aún mayor, un dolor que rebasa tus sueños más atrevidos. El sufrimiento infligido por mí a través de la mano de mi sirviente.

La luz de la ventana se volvía intensa. Algo en el tono de voz del Conde la asustó. Quería rogarle que no hiciera lo que tenía contemplado. Pero por experiencia sabía que las súplicas sólo aumentarían su desgracia.

—Ahora te dejo en buenas manos. Debería escuchar casi todo lo que ocurrirá a partir de este momento. Sin embargo, estaré presente en el inicio, para echar un vistazo y llevarme una dulce imagen a la cama —caminó hacia la puerta y salió. Ésta se cerró, pero no por completo. A través de esa pequeña abertura, el Conde dio órdenes—. Señor Harker, procede como te indiqué.

Magda vio que Jonathan se acercaba a la ventana. Cuando la abrió, ella retiró el rostro y apretó los ojos para evitar la luz que entraba a la habitación, una luz que calentaba el aire. De repente, sintió como si estuviera atrapada en un baño de vapor turco. Su terror aumentó.

—¿Por qué dejas entrar la luz? —gritó.

—Paciencia, querida, una tarea creativa requiere de tiempo para realizarse como es debido —respondió el Conde. Su profunda voz tenía un dejo de diversión y excitación.

A través de los párpados cerrados, percibió que el sol se sentaba en la parte superior del alféizar. Al instante supo dónde caían los rayos, que quemaban su trasero como un látigo de fuego. Gritó. Jonathan cerró la ventana y la luz se bloqueó. La temperatura descendió en todas partes, excepto en donde la había besado el sol.

Magda olió a carne quemada, la suya. Sabía que en los glúteos tenía una delgada línea con quemaduras superficiales. No podría soportar esto, rebasaba hasta su resistencia.

—Es lo que te mereces —dijo el Conde, leyéndole otra vez el pensamiento—. Puedes aguantar más, y lo harás. Señor Harker, adelante.

—¡No! ¡Por favor, Amo! Jamás volveré a desobedecerte. Haré lo que sea...

Jonathan abrió la ventana. El calor la envolvió, el fuego se estrellaba en su trasero y en los pliegues de sus muy abiertos orificios. Cerró la ventana.

Entre lágrimas oyó al Conde.

—Mi amor, hace mucho que pasó mi hora de ir a la cama. Como sabes, ya estoy viejo y necesito descansar. Nada me complacería más que ser testigo de tu iniciación con fuego, pero no es posible. A mí también me afecta la luz. Le di instrucciones al señor Harker para que abra y cierre la ventana hasta que el sol se ponga sobre ella. No tengas miedo, los rayos están enfocados. Para mañana en la noche, tu rebelión estará derretida y tu temperamento se habrá tranquilizado.

La puerta se cerró, la ventana se abrió y Magda gritó.

CAPÍTULO CINCO

Cuando a la siguiente noche el sol se metió, el Conde apareció. Magda apenas podía moverse, su piel estaba asustada.

El Conde la liberó, Magda se apoyó en el potro del dolor y vio por encima del hombro. Cientos de ampollas llenas de sangre le cubrían las nalgas; ampollas que cobraron vida cuando el Conde se la echó a la espalda para llevarla a donde Jonathan yacía desnudo, salvo por los tirantes de cuero. Su pene inglés estaba erecto, como si estuviera esperándola.

El Conde la colocó encima de Jonathan, con el orificio sobre su miembro. Magda se abrazó las rodillas y los brazos. El Conde la penetró por atrás.

Se movían siguiendo un ritmo extraño, ella entraba y salía del pene de Jonathan, mientras el Conde le atravesaba el ano. Las caderas de éste se estrellaban en los inflamados glúteos de Magda, oprimiéndole las ampollas, reviviéndole el insoportable dolor que le despertó un intenso placer. Magda se acercaba a la cúspide del éxtasis, llegaba al borde y después se alejaba. Cada vez que sentía que tenía el control de su orgasmo con Jonathan, el Conde la llevaba a la orilla de una nueva sensación. En el momento en el que el paso se volvía cómodo, él apresuraba el suyo y Magda se veía obligada a seguirlo. En poco tiempo se resignó a simplemente participar en el acto sexual. Cuando abandonaba el pene de Jonathan, el del Conde se retiraba; cuando aquél la penetraba y la llenaba, éste volvía a atravesarla. Y justo en el instante que se acostumbró al patrón, el Conde volvió a cambiarlo, penetrándole el ano a toda profundidad cuando ella llegaba a la cabeza del pene de Jonathan.

Magda no se dio cuenta cuando las hermanas entraron a la habitación. De repente, la regordeta se sentó con las piernas abiertas sobre la cara de Jonathan, mientras que la delgada se quedó parada frente a su hermana para que le acariciara el montículo con la lengua. La gorda tomó los pezones de Magda entre sus dedos para pellizcarlos y jugar con ellos. La hermana se inclinó e hizo lo mismo con ella.

El primer orgasmo sacudió a Magda, cuyo cuerpo se sacudió como si la tierra hubiera temblado. Y al tiempo que se venía, su vagina y ano se contrajeron mientras una ola tras otra la recorría; el movimiento continuó, hundiéndose e incrustándose en su trasero; pellizcos en sus sensibles pezones; caderas golpeándole su ampollado trasero; un pene vibrando en su interior, su placer era exquisito. Magda se vino muchas veces antes de que los demás explotaran en el interior de ella y entre sí.

Todos se desplomaron, hasta que el Conde ordenó:

—¡Magda, levántate! —De inmediato se puso de pie. Él abrió los brazos y con gusto ella se entregó al abrazo. Los dientes del Conde encontraron las heridas que le infligió esa primera vez que la asustó, hacía mucho tiempo. Magda no tenía sangre que ofrecer. De hecho, ella necesitaba sangre, pero también esa perforación. La rendición final a su señor de las tinieblas y a sus indomables apetitos.

Cuando la atravesó con sus largos dientes, Magda se sintió apreciada. Amada. Por el Conde. Por las hermanas. ¿Cómo pudo alejarse de ellos?

—Puedes jugar con él, querida mía —dijo, señalando a Jonathan con la cabeza—, hasta que regrese. Vengan —se dirigió a las hermanas, quienes se colocaron junto a él, una de cada lado. Antes de salir de la habitación, el Conde tomó de la pared un látigo chino que tenía una cola de caballo trenzada y varios ganchos de metal.

Magda se quedó sola con Jonathan. Éste volteó a verla con sus inocentes ojos azules. Sintió lástima por él. Pronto volvería a Inglaterra, con su frígida esposa Mina, y nunca realizaría sus más oscuras fantasías. Su breve intento por dominarla con la luz del sol había sido pésimo. Tuvo éxito en la tarea física, pero el hombre en sí era soso. Estaba condenado al fracaso. Nunca aprendió a rendirse, ¿cómo era posible que esperara dominar?

Magda le ofreció una mano, él la tomó y se puso de pie.

—Al potro —le ordenó.

—¿Por qué? ¿Para qué? Se oía horrorizado.

—Para amarrarte, estirarte y darte latigazos hasta que sangres.

—Es... Es ridículo, Magda. Me niego a... —farfulló.

Jonathan seguía siendo mortal y ella tenía mucho tiempo que ya no lo era. Su fuerza era superior a la de él; en segundos, lo dejó atrapado en el marco de la cama de metal.

Los tirantes que vestía pronto dejaron al descubierto su verdadero propósito. La estocada en su recto era el consolador marroquí más grande que el Conde había llevado con él la noche anterior. Magda ya lo había probado, en ambos orificios, y sabía que para entonces el gigante pene de cuero amenazaba con partir a Jonathan en dos. En la punta tenía un aro, que tenía unida una cinta de cuero, que corría por entre los glúteos del inglés, a lo largo de su columna vertebral y por último se sujetaba al incrustado cuello que le rodeaba la garganta. Este astuto arreglo sostenía al enorme consolador con firmeza en su lugar, al tiempo que le dejaba el trasero y la espalda expuestos al placer de Magda. Las asentaderas de Jonathan tenían la marca de docenas de furiosas líneas rojas —huellas de la vara de sauce. Magda sonrió y pensó: *¡El Amo estuvo ocupado anoche!*

Giró las asas de las cuatro esquinas del potro hasta que el joven quedó bien estirado y le suplicó que se detuviera. Entonces Magda jaló una palanca y el marco quedó derecho.

—¡Basta! ¡Esta máquina infernal va a arrancarme las extremidades del dorso!

—Eso es bastante posible.

—¿No tuviste castigo suficiente por tus acciones ayer en la noche? —cambió el tono. Su intento de amenaza fue débil; inútil— cuando el Conde Drácula se entere de esto...

—Quedará encantado. ¿Por qué crees que tú y yo estamos aquí solos? —Él la siguió con la mirada mientras elegía un látigo español. El lubricado cuero estaba doblado y teñido de oscuro, excepto la parte plana que tenía en la punta y la distintiva cuerda blanca, salpicada de sangre seca. Era un látigo largo, tres metros, grueso en el labrado mango y trenzado, pero angosto en la punta. Magda nunca lo había empuñado, pero recordaba el desagradable ardor que provocaba. Sabía que lo usaría con naturalidad.

El pene de Jonathan, semifirme, había aparecido por entre las tiras del potro. Aislado del resto de su cuerpo, parecía un niño que asomaba la cabeza por la ventana para ver qué le ofrecía el mundo. El pene tembló cuando Magda lo tocó. La larga vena que sobresalía a lo largo de éste, era una invitación. Metió la mano y también le sacó los testículos por la abertura. La posición era garantía de que no liberaría nada hasta que Magda se lo permitiera. Con la punta del látigo jugueteó con el pene hasta que creció otro poco y se veía más firme, y la vena se oscureció por la presión del ardor.

—Magda, deberíamos hablarlo de manera civilizada. No creo que quieras...

—Sí quiero, Jonathan. Tengo ganas de azotarte, con violencia, hasta que se te abra la piel y salgan burbujas de sangre de las cortadas en tu delicada piel inglesa. Sangre que beberé a lengüetazos y me dará fuerzas para golpearte una y otra vez, hasta que aprendas el arte de la sumisión.

Magda tomó un frasco del estante y con una mezcla de grasa y ortiga triturada le dio masaje en la espalda, las nalgas y la parte posterior de las piernas. El pene lo dejó limpio porque no le gustaba el sabor. Recordaba, gracias a aquellas sesiones de hace mucho tiempo, que la grasa animal aumentaba el calor que provocaba el cuero de buena calidad. En unos momentos, la piel de Jonathan se llenaría de verdugones y ardería por largo tiempo. La ortiga ya estaba incrementando su malestar. Parecía que Magda leía sus pensamientos.

—Sin duda, volverás a ver a tu preciada Mina. Pero cuando lo hagas, apenas te reconocerá; serás un hombre nuevo. Muy pronto sentirá la diferencia, aunque es probable que sea en su lindo trasero —Tomó con firmeza el mando y lanzó el látigo hacia atrás—. Ahora, señor Jonathan Harker, repite conmigo: "Por favor, Señora, castígame con severidad..."

PARTE 2:

MINA

Capítulo seis

Salí de Londres en tren para llegar a Whitby, un puerto marítimo ubicado en la costa del Mar del Norte. El tren estaba sucio, por dentro y por fuera, sumamente ruidoso, lleno de aromas hediondos, y todo era peor porque me vi obligada a compartir mi espacio con un hombre desagradable, no lo llamaré caballero, que insistía en no apartar la vista de mis senos. Hice este viaje para visitar a mi querida amiga Lucy Westenra, pues no la veo desde que me casé con Jonathan.

—Mina. ¡Ay, Mina, cuánto te he extrañado! —Lucy, como siempre con desbordantes sentimientos de entusiasmo, bajó corriendo los escalones de la casa solariega para dirigirse al carro; sus rizos dorados saltaban bajo la luz del sol. Me tomó de la cintura, como lo hacen los hombres, y me levantó del piso. Colmó mi rostro y labios de tibios y húmedos besos, mientras me sostenía con firmeza contra su suave regazo. No sabía que tenía tanta fuerza, pues es una mujer pequeña.

Atrás de ella, en la puerta, estaba de pie una pareja de expresión adusta, sin duda eran sirvientes, pues su atuendo era sencillo. Me preguntaba si él era el famoso Hodge y ella su esposa Verna, quienes trabajaban en la casa de la adinerada familia de mi amiga desde que era una niña, y se quedaron cuando sus padres murieron en un accidente en un viaje a la India hace muchos años. Aunque no sabía si sólo eran la servidumbre o si habían criado a Lucy. Lo que sí sabía era que este despliegue emocional frente a ellos era indecoroso.

—Lucy —dije tomándola con firmeza de los hombros. Debí dirigirme a ella con severidad, pero la muchacha es de apariencia juguetona, tiene brillantes ojos violeta y una pícara mueca. Siempre hace que en mi rostro se dibuje una sonrisa. Pero sólo le hablé con sinceridad—. A mí también me da mucho gusto verte.

—Mina, no estás avergonzada, ¿verdad?

Aunque fue ella quien lo dijo, sentí que se me sonrojaba la cara.

—Ven acá, tonta —su brazo rodeó mi cintura, casi abarcándola, y con nuestras caderas chocando, me condujo a la puerta principal—. Mina, me has oído hablar de Hodge y de Verna. Ellos han sido como mis padres, me guiaron por el sendero del mundo.

Hodge era un hombre delgado, casi sin cabello y con anteojos. Su esposa era igual de delgada, con el cabello cano muy bien peinado hacia atrás en un moño. ¿Los senderos del mundo? Me preguntaba qué podrían enseñarle a Lucy este par de personas con expresión de enfado. No sé decir por qué, pero fue claro que sentí celos de ellos.

Después de las presentaciones, Lucy me llevó a la sala, en el camino me desabotonó la chaqueta y yo me quité las horquillas que sostenían mi sombrero; Verna retiró ambos y me dio la impresión de que abandonó la habitación en contra de su voluntad. Una vez que nos quedamos solas, me senté en el sillón de orejas y Lucy en el banco para los pies, frente a mí; nuestras rodillas se tocaban y sus manos tomaban las mías con firmeza, entonces me dijo:

—Mina, ya eres una mujer y yo sigo siendo una niña. Cuéntame, ¿qué se siente estar casada?

Casada. Ésa es una palabra para reflexionar. Ciertamente no es el feliz estado que había creído.

—Jonathan es un hombre decente —dije con cuidado—. Un buen proveedor.

Lucy se rio y se puso de pie de un salto para darme un beso.

—Mina, no sabes qué divertida eres. No me interesa tu visión para los negocios. Me refería a la alcoba, por supuesto.

Mi amiga Lucy siempre había sido más que directa. Cuando éramos niñas y asistíamos al colegio privado para señoritas, donde nos conocimos, Lucy jamás dejaba de meterse en problemas, incluso la palmeta de la directora se estrellaba en su trasero a intervalos regulares, todo porque su rápida lengua se negaba a seguir las convenciones. La muchacha no tenía una pizca de tacto y el continuo enrojecimiento de sus asentaderas era prueba de ello.

Pero quería mucho a Lucy y su franqueza me atraía. Además, toda la vida habíamos confiado la una en la otra y no encontré motivos para ocultarle las cosas ahora.

—Bueno, como siempre, vas directo al grano. ¿Qué quieres saber?

—¿Te hace el amor bien?

—¡Lucy! Tu lenguaje es impropio. ¿Quién te enseñó a hablar así?

—¿Quién? Hodge y Verna, por supuesto.

Era obvio que esos dos no habían sido una buena influencia.

—No debes expresarte así en público. ¿Y si alguien te escucha?

—Pero no estoy en público, sino en privado, sola contigo.

Dicho eso, volvió a levantarse y se acurrucó en el lugar que había junto a mí. Ambos cuerpos no cabían en el pequeño espacio, así que puso una pierna sobre la mía y deslizó un brazo sobre mis hombros. Con la mano que le quedaba libre, jugó con los botones aperlados de mi blusa de seda.

—¿Hace calor? —pregunté, sintiendo que me ruborizaba.

—Umm... Mina, comparte tus secretos conmigo. ¿Cómo es Jonathan como amante?

Al ver fijamente esos preciosos ojos color morado, me di cuenta que sólo podía decirle la verdad.

—Deficiente.

—¿En qué sentido?

—Hace lo que debe, si sabes a qué me refiero, y aun así...

—El estanque no se mece —las dos nos reímos hasta que las lágrimas asomaron.— Mina, te extrañé —dijo, besándome en los labios, los suyos eran dulces y carnosos.

De repente, se puso de pie. —Ven conmigo, debes estar cansada y sucia por el viaje. Voy a pedirle a Verna que te prepare un baño y conversaremos mientras lo tomas, como lo hacíamos en el Colegio para Señoritas de la señora Whippet —esto último lo dijo con altanería y terminó con una sonrisita burlona.

En la siguiente hora, Verna vació una docena de cubetas de agua en la tina de madera del baño de Lucy. Me desabotoné la blusa y dejé que la pesada falda de lana se deslizara de mi cuerpo. La sirvienta me desabrochó las enaguas y, antes de que pudiera detenerla, me bajó la ropa interior, dejándome con el trasero desnudo. Lucy insistió en ayudarme con el corsé.

—Tienes una figura muy bonita, pero esta prenda íntima es poco favorecedora —me reprendió—. Con razón Jonathan no puede usar su potencial.

—¡Lucy! ¡En serio! —Me dio mucha vergüenza que lo dijera frente a Verna y mis mejillas se encendieron. Le di la espalda a la sirvienta, pero sentía cómo la mirada de esa mujer se clavaba en mis glúteos desnudos. De repente, me percaté de que mis pezones estaban duros.

La adusta señora estaba parada en la puerta con mi ropa en los brazos, observando cómo Lucy me quitaba la ballena que me tenía presa. Mis pulmones se expandieron a toda su capacidad y el aire acarició mi piel. En poco tiempo, quedé desnuda frente a las dos mujeres y el espejo de cuerpo entero.

Al estar parada junto a la pequeña Lucy, me sorprendió considerarme atractiva. Ella es de baja estatura y curvilínea, la clásica figura de reloj de arena; yo soy mucho más alta y delgada, aunque mi cintura también es angosta. Me parece que tenemos los senos igual de voluptuosos, pero su trasero es quizá un poco más alto y redondo que el mío.

—Preciosa —dijo Lucy a mis espaldas, viéndome de frente en el espejo. Con las palmas de las manos, recorrió mis caderas y mi cintura, con la punta de los dedos acarició la parte lateral de mis senos. Después, sus manos volvieron a bajar—. Pobre, Mina. Estás exhausta —me recargué en ella—. Me acarició el vientre y sus dedos jugaron con el vello que tengo entre las piernas, después subieron, pasaron otra vez por mi estómago y llegaron a mis senos, luego se deslizaron hacia abajo.

No sé cuánto tiempo estuve así, Lucy acariciándome y murmurando suaves sonidos en mis oídos, yo con la cabeza apoyada en su hombro y con los ojos cerrados.

—Traje las varas —la voz de Verna me asustó y abrí los ojos. La vi en el espejo, ya no traía mi ropa en los brazos; de hecho, no estaba a la vista. En su lugar, traía un puñado de varas de abedul muy bien atadas con un moño rosa. En algún momento tuvo que haber ido al jardín y regresar sin que yo la oyera.

—¡Muy bien! —exclamó Lucy—. Mina, querida, debes probar la hidroterapia de Escandinavia. Este año es la moda.

—¿Hidroterapia? ¿De qué hablas?

—Hablo de estimular tu piel, para que tengas una apariencia fresca, como la tienen en los Alpes.

—No estoy en los Alpes, sino en Whitby.

—¡Mina! Siempre has sido muy mojigata. ¡Ya basta! —Azotó su pequeño pie y sus rizos se sacudieron enfurruñados, fue una escena tan bonita y simpática, que tuve que reírme.

—De acuerdo, Lucy. Si aplicarme hidroterapia te hace feliz, entonces adelante. ¿Qué tengo que hacer?

Una vez más, Lucy me abrazó y me dio un beso en la boca, un beso húmedo, tibio y poco claro. Era un hábito muy antiguo y no murió con nuestra infancia, sino que se volvió complejo, pero no me importaba. Jonathan era la otra persona que me había besado en los labios y era totalmente diferente. Sus labios era suaves en una manera vana, pero los de Lucy eran tan carnosos, que parecían una invitación.

—¡Verna! —ordenó Lucy. La sirvienta se dirigió a la pared. Una gruesa cuerda trenzada de color rosa, como las que se usan para llamar a la servidumbre, descansaba en el muro. Ahora me daba cuenta de que corría por el techo hacia la mitad de la habitación, y terminaba con una presilla—. No los usarás mucho tiempo —Lucy me dijo, al tiempo que ataba un aro rosa a cada una de mis muñecas. Unió los aros a una pieza curva de metal en forma de S.— Ahora levanta las manos lo más alto que puedas sobre tu cabeza.

Hice lo que me dijo y enganchó el otro extremo del metal en forma de S en la presilla de la cuerda, después le señaló algo a Verna con la cabeza.

De inmediato, ésta jaló la cuerda. Antes que supiera qué pasaba, me elevé del piso y sólo la punta de los dedos de mis pies tocaban el tapete oriental.

—¡Lucy! ¿Qué haces? ¡Bájame de inmediato! —le ordené.

—Paciencia, mi amor. Siempre has tenido mucha, ahora es tiempo de que hagas uso de ella.

Verna le entregó a Lucy el austero ramo de varas, después se pasó el cordón bajo la axila y el hombro muchas veces. Lucy caminaba dando vueltas a mi alrededor, agitando las ramas en el aire, su rostro dibujaba una sonrisa lasciva. En todo momento, recorrió con una mano mis senos, el interior de mis muslos, por aquí y por allá.

—Tu piel parece una vieja manzana seca. No la cuidas muy bien. Este estímulo te abrirá los poros para que el agua del baño haga su trabajo y penetre más a fondo, permitiendo que te relajes por completo. Los *finn* lo hacen en sus saunas. Verna me enseñó esta antigua técnica.

¡Verna! Así que ésa era la fuente de la perversión. Como gracias a la cuerda yo estaba girando y no podía dejar de hacerlo, clavé mis ojos en los de la señora.

¡Qué descaro! Pensé. Una sirvienta que tiene la impertinencia de mirarme a los ojos. Pero sólo dije:

—No somos *finn* —y lo pronuncié casi sin aliento, pues el miedo que sentía se mezclaba con vergüenza y excitación.

—No, somos británicas y nuestro linaje nos permite reclamar como propias las tradiciones del mundo y adaptarlas a nuestras necesidades especiales. En fin, Mina, sé que odias las innovaciones, pero quizá disfrutes ésta. Y si tú no lo haces, yo sí.

Levantó el brazo muy alto y dejó caer las varas sobre mi trasero. Las ramas golpearon ambos glúteos. Sentí como si me hubiera picado una docena de abejas, en especial donde las puntas se estrellaron. Apenas tuve tiempo para gritar antes del siguiente golpe, ésta vez le tocó a una de mis caderas.

Lucy no pesaba más de 45 kilos, pero no escatimó fuerzas al aplicar esas ramas secas. Aterrizaron en mi vientre y cuando bajé la vista, sólo vi que en mi piel brotaban seis líneas rojas. El ardor alcanzó a mi otra cadera, después subió por mi espalda y hombros para luego bajar a mis asentaderas, que volvieron a recibir a las varas; mis muslos fueron los siguientes.

Nunca en mi vida me habían azotado. A diferencia de Lucy, que sí había sufrido esa experiencia y sobre todo a manos de nuestra directora, yo me portaba bien y las varas no me habían tocado. Pero ahora me encontraron y golpearon la parte anterior de mis muslos, mis pantorrillas, por atrás y adelante, provocando que mi piel temblara y mi cuerpo se sacudiera al tiempo que giraba sin poder evitarlo. Grité y protesté con fuerza, pero en vano.

A pesar de la agudeza de las delgadas ramas, el calor que provocaban era placentero. Mi cuerpo sentía que se abría, pero no sabía a qué.

Lucy terminó, o al menos eso creí, con las plantas de mis pies. Pero ése no era el final.

—¡Abre las piernas! —me ordenó.

Verna, la sirvienta, no quitaba la vista de mi ingle.

—Lucy, no puedo —le supliqué.

Las varas golpearon mis senos, uno a la vez, con el doble de fuerza. Aullé como un perrito.

—¡Obedéceme!

Abrí las piernas, eso significaba que ahora ya ni las puntas de los dedos de mis pies tocaban el piso.

—¡Más! —ordenó; las ramas reiteraban la orden en mis glúteos, que no dejaban de arder.

—¡Las abro lo más que puedo! —grité. ¡Lucy, por Dios, ten piedad!

En lugar de piedad, me demostró las torturas infernales azotando la parte interior de mis muslos, el derecho, el izquierdo, el derecho, el izquierdo; después las varas subieron y llegaron al vulnerable sitio que hay entre mis piernas y que sólo Jonathan había tocado, y apenas. Él nunca me había encendido tanto. Un fluido tibio estallaba dentro de mí entre más me azotaba. Lo único que podía hacer era gritar de placentero dolor.

Las lágrimas bañaban mis mejillas cuando toqué el piso. No recuerdo cuando me quitaron los aros que tenía en las muñecas. De repente, Lucy y Verna se pararon una a cada lado de mí y me levantaron.

—Dobla las piernas —me dijo Lucy.

Hice lo que me pidió.

Me metieron en el agua y me sumergieron hasta que mi caliente piel quedó cubierta con agua aún más caliente, hasta el cuello, arrancándome otro grito de la garganta.

Lucy me jaló la cabeza hacia atrás y me dio un beso fuerte en los labios, deslizando la lengua al interior de mi boca.

Brinqué y me senté, alarmada.

—No, Lucy. ¡No es correcto! Soy mujer, no hombre.

Con suavidad, empujó mis hombros hacia abajo para que mi nuca volviera a descansar en la bañera.

—Claro que eres mujer, por eso lo que hacemos no tiene nada de malo. Ahora, si fueras hombre, sería otra historia, ¿no es cierto?

Lucy me lavó los hombros y el pecho con una esponja enjabonada, especialmente áspera. La criatura de mar seco que frotaba mis pezones, los enrojeció más de lo que estaban, provocando que mi boca volviera a gritar. Me talló la espalda e hizo que me pusiera de rodillas para pasar la esponja por la parte inferior de mis glúteos tan rápido y fuerte, que los hizo arder; después la deslizó por debajo de mí, recorriendo puntos que no sabía que existían. Una vez que me lavó el cabello, ella y Verna me secaron con gruesas toallas y me llevaron a una cama con dosel que estaba en la habitación contigua.

El lino se sentía fresco junto a mi caliente y punzante piel, el colchón antiguo de plumas permitió que me hundiera en él.

—Toma esto —me dijo Lucy al entregarme una copita de cristal cortado con jerez. Bebí el líquido ámbar de un trago.— Duerme hasta la cena —dijo, y me dio un beso en la frente.

Jaló las cobijas hasta taparme el cuello y las metió bajo mi cuerpo, lo que me hizo sentir cubierta, después cerró las cortinas de la ventana y se fue.

Yacía en la quietud de la oscuridad. Mi cuerpo danzaba lleno de sensaciones. Nunca había sentido la piel tan viva. Lucy no pasó por alto ni un centímetro de mí, y se lo agradecía.

Con cada respiración, mis pezones se tensaban bajo el lino almidonado, se oprimían y exigían que se les prestara atención. El calor que había entre mis piernas era intenso y cada latido de corazón provocaba que mi piel punzara. Sentía que los glúteos, recargados en el colchón cubierto de lino, estaban tan calientes, que me imaginaba que les salía vapor. ¿No fueron esas áreas las que mayor atención recibieron?

Una parte de mí deseaba encontrar la manera de responder al llamado que escuchaba, pero no sabía cómo. Hasta este día, sólo Jonathan había transitado por mi piel y me parecía que sólo había hecho un breve recorrido, ignorando los lugares más importantes a lo largo del camino. Lucy, dulce Lucy, dedicó el tiempo para admirar cada punto natural de interés, cuidándolo con cariñosa atención.

Caí en un sueño profundo y tibio en el que soñé que era un animal salvaje, que cabalgaba y era cabalgado bajo el sofocante sol de África. Las ansias de liberación se volvieron insoportables. Mi corazón latía con mucha fuerza y mi respiración se aceleraba conforme se combinaban el calor del día y el calor de mi cuerpo. Pensé que iba a incinerarme y grité.

De repente, algo estalló entre mis piernas y fluyó agua fresca. Todo mi cuerpo tembló sin control. Yacía exhausta y refrescada.

Abrí los ojos. Verna estaba encendiendo la lámpara. Los cobertores estaban amontonados en los pies de la cama; mi cuerpo desnudo se exhibía ante ella, con las piernas abiertas, los pezones duros e hinchados, y la sirvienta analizaba cada parte de mí con cuidado. Sentí que un líquido escurría por mis piernas y Verna se dio cuenta.

—La señorita la espera para cenar —dijo con una extraña sonrisa en los labios, y se fue.

Capítulo siete

Lucy y yo tomamos una buena cena que consistió en cerdo asado, puré de manzana y papitas del jardín que Hodge atendía. Conversamos, nos reímos, y yo comí como si no lo hubiera hecho en un año.

Inmediatamente después de la cena, Hodge entró a la sala y anunció al Dr. Steward.

—Que pase —dijo Lucy, poniéndose de pie de un salto.

Un hombre alto de cabello rubio rojizo entró a la habitación. Se veía molesto y preocupado. Lucy se paró de puntillas para besarlo en los labios. Él sacó un reloj de bolsillo de su chaleco y vio la hora; después se jaló el encerado bigote.

—Mina, quiero presentarte a mi amigo, el Dr. Steward. John, la señora Mina Harker.

El Dr. Steward tomó mi mano, aunque era obvio que estaba distraído y ansioso por estar en otro lugar.

—Señora Harker —me dijo—. Señorita Lucy, temo que no puedo quedarme mucho tiempo. Es tarde y los pacientes requieren mi atención, en particular el señor

Renfield, de quien le he hablado. Si pudiéramos atender nuestro asunto a la brevedad...

—John, siéntate —habló Lucy, con voz suave pero firme—. Estás portándote grosero con mi visita y no te lo perdonaré. Mina viajó desde Londres, su esposo está en un horrible país de Europa que se llama Transilvania. Mina tiene un problema, es un asunto marital.

—¡Lucy! —Había llegado muy lejos.

—Mina, por Dios, John es médico. Él sabe de esas cosas.

Mi rostro se volvió color carmesí. La vergüenza me inundó y no pude ver a ninguno de los dos a los ojos.

—Creo que mejor me voy —dije con frialdad—, el viaje estuvo pesado y estoy agotada. Discúlpenme, por favor. —No esperé la respuesta, salí corriendo del salón.

Ya a salvo en mi habitación, estaba muy molesta como para dormir. El ambiente era tibio y denso, como si se aproximara una tormenta. Por unos minutos, di vueltas por la recámara y después decidí escribir otra carta para mi esposo.

Jonathan se había ido hacía ya muchas semanas a venderle una propiedad a un viejo barón de los Montes Cárpatos. Le escribía todos los días, como mi obligación de esposa me indicaba, pero aún no recibía ni una respuesta. Claro, Transilvania es un país subdesarrollado y no esperaba que el servicio postal fuera como el de Inglaterra. Aun así, estaba enojada con Jonathan y, cuando era honesta conmigo misma, sabía que el origen de mi molestia era que me sentía insatisfecha con sus obligaciones como esposo. De todas maneras, estábamos casados y debía escribirle.

Tomé una pluma fuente y la sumergí en el tintero, estaba por tocar el papel, cuando escuché un golpecito en la pared. Como no cesaba, me levanté y atravesé la habitación. Parecía que venía de atrás de un retrato. Por impulso, hice a un lado el marco del retrato al óleo de algún ancestro Westenra, y me sorprendió encontrar un hueco del tamaño de un globo ocular en la pared. El ruidito no paraba y el sonido de la voz de Lucy provenía claramente de la habitación contigua. Por un momento lo dudé, pero puse el ojo en el orificio.

Vi al Dr. Steward desnudo de pies a cabeza, su velludo trasero quedaba de frente a mí, así que vi sus genitales colgando. Tenía las manos atadas en la espalda y estaba de rodillas a los pies de Lucy, lamiéndole las suelas de las botas con tachuelas que aún tenía amarradas. Mi amiga estaba en una silla reina Ana, vestía las botas, un corsé de cuero negro y medias de lana negras, rojas ligas las sostenían en su lugar. En su regazo descansaba una palmeta de madera negra, larga, rectangular y de mango corto, que más bien parecía un *bat* de críquet.

No podía creer lo que veía. Me di cuenta de que mi respiración se aceleró y de que estaba pegada al muro.

De repente, Lucy dio una fuerte patada que hizo caer al médico de espaldas. Grité cuando vi su erecto miembro.

Lucy volteó a la pared, sonrió como si me hubiera visto y yo brinqué hacia atrás. Aunque era imposible que me viera, el hueco era muy pequeño. Me dije que iría directo a la cama o aprendería algún vicio que es mejor desconocer. Pero en segundos, estaba otra vez espiando por el agujero.

Lucy se había levantado de la silla, ahora el médico estaba allí, de rodillas en el borde en posición vertical. Sus manos atadas descansaban en la parte baja de su espalda y yo veía con claridad sus blancos glúteos con vellos rubios rojizos. Lucy estaba de pie junto a él, con la amenazante palmeta en la mano derecha.

—Tienes que aprender a comportarte, doctor. La próxima vez que me visites, si me digno concederte otra visita, esperarás con paciencia hasta que esté lista para iniciar nuestra sesión. Aquí yo soy el ama y tú mi esclavo. ¿Quedó claro?

El Dr. Steward murmuró algo que no escuché y aparentemente Lucy tampoco.

Ella se armó de valor y le dio una buena paliza con la palmeta en el trasero desnudo. El cuerpo del doctor se estremeció y por poco pierde el equilibrio. El grande y largo bat de críquet le enrojeció ambos glúteos.

—¿Quedó claro?

—¡Sí, ama Lucy! —Esta vez casi gritó.

—Muy bien —dijo ella.— A tu posición.

El Dr. Steward se inclinó hacia delante para que su cabeza tocara el respaldo de la silla. Se agachó hasta que descansó la cara en donde la silla y el respaldo se unen. Esto obligó a que su trasero quedará en el aire y para conservar el equilibrio, tuvo que abrir mucho las piernas. Una vez más, los testículos le colgaban entre las piernas; en secreto, me emocionó verlos expuestos.

—Cuando termine contigo, doctor, visitarás a tu paciente, el señor Renfield. De pie. Si crees que voy a evitarte humillación y dolor, estás muy equivocado. Te mereces todo el castigo que te impondré y más. Te portaste arrogante, grosero e impaciente, así que voy a golpear tus nalgas con la palmeta hasta que esas actitudes ya no sean evidentes.

—Si eso la complace, Ama —dijo en voz alta—, esta noche use la palmeta más grande, pues mi trabajo en el sanatorio requiere que esté sentado.

Era obvio que Lucy estaba furiosa.

—Darte una tunda no me da placer, doctor. Para eso necesitas media hora extra.

Ella elevó mucho el brazo. La palmeta se apresuró y aterrizó con fuerza en las asentaderas del médico, incluso desde donde yo estaba, el golpe se escuchó como si hubiera lastimado la piel. El Dr. Steward gritó.

—¡Piedad!

La respuesta de Lucy fue estrellarle una y otra vez la palmeta en el trasero. Cada vez que ella levantaba el brazo, yo tenía una clara visión de los pobres glúteos. Temblaban y relucían, el color de la piel era más rojo que el tono de los vellos y llegaba a ser lo que llamaría carmesí.

Con cada azote que Lucy le daba, mi cabeza giraba; apenas podía respirar; la tensión que sentía estremecía mi cuerpo; las palmas de las manos me sudaban, y la humedad se deslizaba entre mis senos.

Lucy manejaba la palmeta como si fuera experimentada jugadora de críquet. Después de un rato, cambió de lado para que pudiera emparejarle el color, que había pasado de carmesí a escarlata. Lo oí gritar, suplicando piedad, pero mi amiga sólo incrementaba sus esfuerzos. No sabía de dónde sacaba tanta fuerza. Empecé a sentirme tan débil, que ya no podía mantenerme de pie. La última y larga mirada a esos glúteos granate casi me provoca un desmayo. Llegué tambaleándome a la cama y me dejé caer en ella. Afuera, el viento bramaba, como si la tormenta que se avecinaba estuviera a punto de caer.

Mi pulso estaba peligrosamente acelerado y mi cuerpo estremecido. No podía hacer nada más que quedarme allí acostada, escuchando el exquisito sonido de la palmeta estrellándose en la piel una y otra y otra vez, intercalado con los patéticos gritos del ahora arrepentido Dr. Steward.

Finalmente, hubo silencio, excepto por los truenos, pero eso tampoco me ayudó. Mi cuerpo ardía y ansiaba que una fresca brisa me bajara la fiebre. No sabía qué hacer por mí.

De repente, la puerta de mi habitación se abrió y Lucy apareció muy fresca, como si fuera de mañana, con una copa de jerez. Vestía un camisón de algodón blanco decorado con listones del mismo color, y los pies descalzos. Su largo cabello dorado caía precioso sobre sus hombros.

—Ay, Mina —dijo, y saltó a la cama conmigo—, me da mucho gusto que hayas conocido a John. Es adorable, ¿no es cierto? Me propuso matrimonio. Hoy fue la tercera vez. Está desesperado por casarse conmigo. ¿Qué opinas? ¿Doy el paso?

Todo esto me lo dijo con su tono infantil mientras yo yacía allí, sintiendo mis latidos.

—¡Sigues vestida! —gritó como si fuera algo indecente. De inmediato, me jaló la blusa, dejando mis hombros al descubierto, y quitó las faldas de mi ardiente cuerpo.

Permití que lo hiciera, no podía impedírselo, y tampoco quería. En poco tiempo, me dejó casi desnuda frente a ella. Se recargó en la cabecera laqueada y me tomó en sus brazos.

—Mina, estás helándote —dijo y se rio con burla.

Deslizó la mano por mi caliente seno izquierdo hasta llegar al ardiente pezón, que estaba hinchado y enmarcaba la pálida piel que estaba a su alrededor.

—Esto es impresionante —logré decir entre dientes.

—¿Lo es? —Con la yema del dedo rodeó mi pezón y mi cuerpo se estremeció.

—Lucy, soy una mujer casada. No está bien.

—Te preocupas mucho, Mina, pero siempre has sido así —me recordó. Tomó el pezón entre su pulgar e índice y lo pellizcó con fuerza.

Grité, arqueando la espalda como si una descarga me hubiera recorrido, deseando que se detuviera, queriendo que volviera a hacerlo, sintiéndome incapaz de otra cosa que no fuera recibir lo que decidiera darme.

—¿Te acuerdas de esa vez que estábamos en el internado y entramos a hurtadillas en la despensa, a media noche, para husmear por el ojo de la cerradura de la recámara de la cocinera? —preguntó.

—¡Claro! —respondí jadeando—. Estaba en la cama con el hijo del jardinero... Pero no recuerdo qué estaban haciendo.

—No te acuerdas porque es todo lo que viste antes de que yo te hiciera a un lado de un empujón, era mi turno. Pero yo sí los vi. Él estaba montándola por atrás, como perro, y...

Agachó la cara y metió mi hinchado pezón en su húmeda boca. La sensación era tan agradable, que apenas si la soportaba. Eché la cabeza hacia atrás, jadeando como un animal, sintiéndome completamente débil.

—Lucy, detente...

Levantó la boca y jaló el pezón con los dientes, volviéndome loca.

—Lo vi horneando el pastel de cereza de la cocinera —me susurró al oído.

Nos reímos. Fue otro de nuestros "episodios", como los llamábamos, sólo que, como siempre, me oculté en la sombra mientras Lucy disfrutaba la diversión.

Dejó caer una pierna sobre las mías, atrapándolas, y dirigió la mano hacia mi otro seno, tratando a ese pezón con la misma rudeza. Sus atenciones me hicieron gemir y retorcerme.

—Mina, ¿te acuerdas el miedo que tenías de que la cocinera nos escuchara y le dijera a la directora? Siempre temías que la señora Whippet te diera una paliza.

Así es, me daba terror. La señora Whippet era famosa por sus severos castigos, y yo había visto los efectos de una sesión con ella en la piel de más de una alumna.

—Pobre Lucy, me protegiste y te echaste la culpa cuando lo supo; tu trasero pagó el precio.

Su mano se alternaba los pezones, jalándolos, girándolos, pellizcándolos. Apenas podía concentrarme en lo que decía. Mis piernas, bajo las suyas, luchaban por abrirse por voluntad propia. Mis senos no se separaban de sus diestros dedos y suplicaban más. Me sentía como una cualquiera.

—¿Protegerte? Qué tontería. Además, no lo averiguó, se lo confesé. No quise compartir, es todo.

—Lucy, en serio, la mitad del tiempo no sé de qué hablas. ¿Compartir qué?

—La palmeta de la señora Whippet, qué más.

Me enderecé abruptamente, hasta donde pude.

—¿Estás diciendo que te gustaba que te azotara?

Me sonrió.

—¡No puedes hablar en serio!

—Pero lo hago, Mina. ¿Crees que soy tonta? Sabía cómo ganarme una paliza y cómo evitarla. Simplemente no quería evitarlas.

Eso me dio qué pensar. La señora Whippet castigó a Lucy más que a cualquier otra niña en los cuatro años que pasamos en la exclusiva escuela para señoritas. La idea de que ella lo provocara... Pero este mismo día recibí una ligera muestra del placer que brinda la piel golpeada. ¿Lucy sabía algo que yo no? Por esta vez, decidí ser cautelosa.

—¿Entonces te gustaba la palmeta?

—La palmeta, la vara, la palma de su mano y a veces hasta su fusta. Lo quería todo y lo recibí todo. Esos fueron los años más enriquecedores de mi juventud.

—¿Y qué obtenías con el dolor? —Le solté. Me jaló hacia ella, esta vez cada mano tomó un pezón, los provocó, jugó con ellos y los castigó.

—Placer. Embriagador placer.

Mi mundo estaba de cabeza. Todos estos años sentí lástima por Lucy, por los muchos castigos que recibió, y ahora me dice que los ansiaba. Si hoy no hubiera experimentado lo que viví, no le hubiera creído. Pero la entendía.

—¿Quieres que te cuente de mi primera vez? Es una historia que nadie sabe. —Esa mirada traviesa iluminó sus ojos.

—Claro; habla —dije sin aliento.

—Bueno, como te portaste muy bien hoy, lo haré.

Me jaló para acercarme más y me dio un beso completo, metió la lengua a mi boca. Mi lengua recibió la suya con ansias. Me volteó para que no le costara trabajo meter la mano en mis bombachos por atrás. Pasó por la abertura que divide los glúteos y el ano, hasta que se colocó entre mis piernas. Sin vergüenza, dejé que lo hiciera.

Sus dedos descansaron en mi orificio, oprimiéndolo ligeramente. Al mismo tiempo, sus labios se encontraron con uno de mis pezones otra vez, lo mordisqueó hasta que me opuse, salté y grité; mis movimientos la obligaron a meter un poco los dedos en mi vagina.

Por último, chupó mi pezón y me estremecí. Entonces empezó a contarme la historia.

—La tarde posterior a nuestra llegada a la escuela, justo cuando terminó la cena, la señora Whippet mandó llamarme.

Nunca te lo dije, Mina, pero en la parte de atrás de su oficina había una habitación pequeña, no más grande que el lugar donde guardábamos la leña. Había una mesa que tenía el tamaño suficiente para acostarte en ella, tres sillas de respaldo recto, una cama y un tocador pequeño. En el momento en el que entré, cerró la puerta con llave, se la guardó en el bolsillo y me ordenó que me sentara, aunque ella se quedó de pie.

"Señorita Westenra", me dijo, "tiene dieciocho años y desde hace dos carece del cuidado de sus padres".

"No, señora Whippet", le respondí de inmediato, "tengo dos sirvientes que me han acompañado toda la vida. Ellos me cuidan desde que mis padres murieron".

"Así es, señorita Westenra, cuidarla y criarla son dos cosas muy diferentes. Y eso no fue lo que me dijeron".

Me entregó una carta que Verna escribió con sus garabatos. El asunto era que a pesar de que se habían esforzado, yo siempre había estado muy consentida y ahora era incorregible. Verna dijo que a ellos no les correspondía imponerme disciplina. Explicaba que a mis padres les hubiera gustado que asistiera al Colegio Privado para Señoritas de la señora Whippet, y que Verna oraba para que no fuera muy indulgente conmigo, pues le daba miedo pensar qué sería de la joven maestra. Sobra decir que estaba horrorizada.

"Señora Whippet, esta mujer no sabe lo que dice. Pero de cualquier forma tengo dieciocho años y ya soy una adulta, a cargo de mi vida".

"Se equivoca, señorita Westenra. Yo estoy a cargo de su vida el tiempo que esté inscrita en mi escuela que, según recordará el testamento de sus padres, es por un plazo de cuatro años".

Eso me hizo enojar. ¿Quién era esta mujer para creer que tenía autoridad sobre mí? A pesar de los deseos de mis padres, era libre de ir y venir a mi antojo, y se lo informé sin dudarlo.

Se sentó en una silla sin brazos de frente a mí y me observó por muchísimo tiempo. Mina, ¿te acuerdas qué escalofriantes eran sus ojos grises?... como si ya hubiera tomado una decisión y nada la haría cambiar de opinión. No pasó mucho rato antes de que empezara a sentirme incómoda con esa penetrante mirada. Sentía que podía leer mi mente y todas las cosas desagradables que estaba pensando de ella.

Como sabes, querida Mina, la paciencia es una virtud con la que fuiste bendecida, pero no puedo decir lo mismo de mí. Al poco rato, me puse de pie y le exigí que abriera la puerta de inmediato.

Pero la señora Whippet seguía allí sentada, viéndome, analizándome, ahora creo.

Durante la siguiente hora, lancé ataque tras ataque; la amenacé; le supliqué; me disculpé, y le prometí de todo si me dejaba salir. En algún momento tomé una de sus preciosas sillas Chippendale antiguas y la aventé a la puerta, haciéndole una hendidura en el respaldo y rompiéndole una pata, todo en vano. Si no hubiera sido mucho más alta que yo, la hubiera agredido físicamente; la idea me cruzó por la cabeza. Al final, exhausta, me dejé caer en la única silla que quedaba libre y esperé. Estaba segura de que me dejaría salir en la mañana, cuando empezaran las clases.

Nos sentamos otro gran rato en silencio, ella observándome y yo moviéndome inquieta. Justo cuando decidí que estaba loca, me dijo:

"Señorita Westenra, si quiere salir de esta habitación, hará lo que le ordene".

Claro, para ese entonces, yo estaba dispuesta a hacer lo que fuera y se lo comuniqué.

"Vaya al tocador y abra el primer cajón".

Eso hice.

"Tráigame el cepillo para el cabello".

En el interior del cajón había un extraordinario cepillo con cerdas de jabalí, un poco más largas, y suave dorso liso de caoba. Le acerqué el cepillo, me lo arrebató de las manos y lo examinó con gran interés.

"Este cepillo era de la directora de la escuela a la que asistí cuando era niña, tenía más o menos su edad".

"Debe ser muy antiguo", dije pensado hacerla reír.

"Muy antiguo y muy confiable".

"Me imagino que es un buen cepillo", aburriéndome más conforme pasaban los minutos. "Supongo que peina muy bien".

"El buen trabajo no sólo lo hace en el cabello, señorita Westenra".

Al decirlo volteó a verme y no me gustó la expresión de sus ojos. Era agresiva y peligrosa, pero cautivadora. Fue algo desenfrenada y me hipnotizó.

"Coloque las manos juntas atrás de la espalda", me ordenó, y por alguna razón hice lo que me dijo.

En un segundo, se colocó atrás de mí, tomó mis muñecas y me colocó sobre su regazo. Estaba demasiado impresionada para entender lo que estaba pasando y en esos momentos de confusión, me levantó las faldas y bajó mi ropa interior hasta la altura de las rodillas; mis muñecas seguían atrapadas.

Yo yacía indefensa, con los glúteos desnudos totalmente expuestos a ella. Pataleé y grité, traté de morderla y rasguñarla, le exigí que me dijera cómo se atrevía.

"¡Haré que le cierren la escuela mañana a primera hora! ¡Suélteme de inmediato!"

Aun con todo, la señora Whippet no me soltó.

"Necesita disciplina, y con urgencia", indicó. "La recibirá. Así, señorita Westenra, serán las cosas: Golpearé su virginal trasero con mi infalible cepillo hasta que se ponga el sol, en ese momento la mandaré a la cama para que duerma una hora, aunque para entonces el sueño será lo último en lo que pensará".

No era más de medianoche. Una cuenta rápida me informó la idea inconcebible de que estaba a punto de recibir una paliza de cinco horas.

"En la mañana", continuó, "asistirá a clases y se portará bien. A las maestras se les informó que se inclina por la desobediencia y requiere rápida corrección. Recibieron la instrucción de no ser indulgentes. A la menor trasgresión o infracción de las normas, la presentarán ante mí de inmediato y se colocará sobre mis rodillas, como está ahora. Le castigaré con la frecuencia y la severidad necesarias hasta que entienda quién manda a quién".

Por supuesto, sus palabras provocaron un gran terror que se apoderó de mí a toda velocidad. Nunca me habían dado nalgadas y la idea de que empezaran a administrármelas ahora, al llegar a la adultez y cuando al fin era independiente, no era muy fácil de aceptar. Pero al mismo tiempo, otro sentimiento me recorrió el cuerpo y me hizo temblar a la expectativa. Me emocionó pensar que estaba sobre el tibio regazo de esta mujer, a su total merced, y que su cepillo me impondría límites, ¡durante cinco horas!

"Una cosa más, señorita Westenra. A pesar de que su comportamiento sea perfecto en los próximos días, la veré todas las noches, después de la cena, aquí, en mi privado, donde continuaremos estas importantes y duras lecciones durante tres días".

"¡Tres días!, grité".

"Una semana, entonces".

Me quedé callada de la impresión, y así hubiera seguido si el dorso del cepillo no me hubiera obligado a gritar. Éste golpeó un glúteo, después el otro. Una y otra vez, la madera se estrellaba en mi trasero con más fuerza en cada ocasión. Nunca había sentido un dolor como ése. El dolor se expandía desde donde sentía que me pegaba. Mis asentaderas ardieron con rapidez.

Al poco tiempo, mi trasero brincaba con cada golpe y la madera dejaba su huella; aunque sospecho que el deseo de mis muy punzantes ganas de escapar era mucho menor al de seguir encontrándose con el cepillo. Pues mi vulva se mecía placenteramente en la intimidad del regazo de esta mujer con cada caída provocada por el azote, y para caer, era necesario levantarme. Pero entonces, la paliza misma me excitó.

La señora Whippet era muy cuidadosa. Me pegó en todo el trasero, poniendo especial atención en la parte donde me vería obligada a sentarme, así como en el centro. Para mi sorpresa y mi agonía, seguía encontrando nuevas áreas que aún no probaban la dura madera. Me azotó con fuerza y no se cansó, era disciplinaria por naturaleza. Debí haber recibido cien golpes en cada glúteo antes de que hiciera una pausa, que no fue para descansar, sino para informarme algo.

"Debido a su respuesta, señorita Westenra, dos semanas de castigo harán que se comporte mejor".

Entonces, siguió dándome nalgadas, con más fuerza y energía, como si sus esfuerzos le dieran vigor.

Después de pasar la noche acostada en su regazo, no puedo decir que mi primera lección fuera del todo placentera. Estaba aterrada y las lágrimas no conocían límites. Mis glúteos quedaron impresionados con ese trato agresivo y directo. Aun así, a la hora que cantó el gallo y la señora Whippet me mandó a la cama, ansiaba recibir la siguiente lección. Y la directora, fiel a su palabra, aplicó las siguientes reprimendas de la misma manera firme y eficiente, todas las noches durante las siguientes catorce. Mi trasero brillaba como una manzana roja madura; no pude sentarme en dos semanas y era una agonía estar en el pupitre porque hacía que me retorciera, por lo que me gané más azotes. Para dormir lo poco que se me permitía, me acostaba boca abajo, ya que mis asentaderas llameaban furiosas como un ardiente infierno. A pesar de todo, experimenté deliciosas y nuevas sensaciones que despertaba el castigo de la directora.

Lucy hizo una pausa para beber jerez. Todo eso había sucedido frente a mi nariz, tal cual. Los años que sentí pena por Lucy, debí sentirla por mí, por no haber sentido nunca la palmeta en mi trasero desnudo; por no haber conocido una mano golpeadora que mis lágrimas no detuvieran; por no haber sufrido el dolor, un dolor exquisito, que me hubiera llevado por senderos que no había explorado.

Una vez lubricada la garganta, Lucy continuó.

—Al final de mi primera lección privada con la señora Whippet, aprendí a respetar a nuestra directora. Para entonces, ya también sabía que me exigía muchas cosas, incluyendo la insistencia de que trabajara para ganarme su instrucción con la frecuencia suficiente como para no perder mi tiempo en la escuela. Al menos una vez a la semana encontraba ocasión para procurarme una sesión privada con la señora Whippet, que nunca me falló. Por supuesto, nuestra directora, como buena educadora, utilizaba una variedad de métodos educativos, que me parecieron igual de efectivos bajo su mano firme. Lo que me enseñó resultó ser invaluable; ella me convirtió en la mujer que ahora soy.

Cuando Lucy terminó, me di cuenta que sus dedos estaban dentro de mí. ¿Cómo habían llegado tan lejos? Me sentía como un cachorrito, tibia y atontada, en espera de ser golpeada.

—Ése será nuestro secretito, ¿verdad, Mina?

Asentí lánguidamente. El calor que me recorría el cuerpo había llegado a tal punto, que sabía que si me movía aunque fuera un centímetro, ese delicioso y latente fuego me envolvería. Mi dilema era cómo avivar las llamas hasta que fueran incontenibles, y al mismo tiempo demorar el inevitable efecto de convertirme en cenizas.

Pero mi problema desapareció de repente. Lucy retiró los dedos a la brevedad. Se puso de pie. Afuera, la lluvia caía a cántaros.

Yo me quedé allí aventada, como una muñeca abandonada, consciente de mi casi desnudez y mi poco elegante posición. Abrí la boca con total incredulidad.

Atravesó la habitación y giró el botón de la lámpara, hasta que la recámara quedó en penumbra.

—Estoy segura de que estás caliente, Mina —dijo. Distinguí la burla en el tono de su voz—. Que duermas bien, si puedes.

CAPÍTULO OCHO

Al siguiente día, Lucy no se dejó ver. Verna, que sirvió el primer alimento, respondió a mi pregunta.

—La señorita Lucy es voluntaria en un sanatorio y estará fuera todo el día. —Desayuné sola y después la sirvienta me sugirió que diera un paseo.

Monté a Capullo de Rosa con las dos piernas del mismo lado, y la asustadiza yegua zaina se arrancó de inmediato, aunque luché por frenarla. Galopaba con mucha rapidez y yo rebotaba en la silla, hasta que pude controlar a la bestia. A partir de entonces, trotamos a paso razonable. El brillante sol del campo de Inglaterra, combinado con la fresca brisa del mar y el enorme animal que traía bajo las piernas, me arrullaron en una especie de estupor erótico. Me descubrí soñando despierta.

Los sucesos de la noche anterior encendieron mi imaginación y mi cuerpo. Sentí una extraña confusión, nada desagradable, cuando me concebí en ambos roles. En lugar de Lucy, era yo quien estaba parada atrás de mi ausente esposo con la larga palmeta en la mano. Curiosamente, sentía la vibración cuando la madera golpeaba el lugar, y la piel, nunca antes tan punzante, se sometía a ella. Al siguiente instante, era yo quien recibía los azotes en mi trasero; el ardor se incrementaba y estaba a punto de perder el control. Una hora de rebotes continuos de mi feminidad en la silla y las vívidas fantasías, produjeron una mancha húmeda en la entrepierna de mi pantalón de montar. Cuando volví a la casa y desmonté, la sirvienta Verna la advirtió.

La vergüenza hizo que ocultara el rostro y me porté dura con ella.

—¿Ya regresó la señorita Westenra?

—No, señora Harker, no ha regresado.

—Está bien. Voy a comer en la galería. Sírveme allí, y me atenderás durante la siguiente media hora.

—Muy bien, señora.

Sinceramente, estaba enojada con Lucy. Era su invitada, debió haberme dicho que estaría fuera de casa. Para ser más precisa, me sentía como un juguete; utilizada de una manera que aún seguía siendo un misterio para mí, llevada al extremo y dejada en suspenso. Conforme el día y la mayor parte de la tarde pasaron, mi frustración creció y decidí que enfrentaría a Lucy.

Era temprano y todavía no estaba cansada, pero me retiré a mi habitación y le escribí una carta a Jonathan. Apenas había empezado con el saludo, cuando de repente escuché ruido del otro lado de la pared. Me apresuré hacia el retrato y lo moví. Lo que vi por el agujero me impactó.

Lucy vestía un corsé de seda color azul pastel, con medias y zapatos del mismo tono. Su cabello se movía al mismo ritmo con el que elevaba y dejaba caer el brazo. Resonaba un horrible silbido, efecto de la delgada caña de bambú con la que cortaba el aire. Sin embargo, la vara no sólo cortaba el aire, sino que laceraba la piel de un trasero de vello oscuro. Un hombre, que no era el Dr. Steward, estaba acostado en la cama, con el torso en el colchón y las rodillas en el piso. Los glúteos azotados eran lampiños hasta la abertura donde éstos se encontraban, allí los vellos marrón oscuro conducían hacia sus grandes testículos. Aullaba cuando la cruel caña golpeaba con desenfreno su piel una y otra vez.

Por su expresión, parecía que Lucy estaba pasándola muy bien. El corsé dejaba al descubierto el triángulo de vello rubio por enfrente y sus regordetas asentaderas por atrás. También levantaba sus coquetos senos, cuyos rosados pezones asomaban por la cúspide. Éstos estaban duros, puntiagudos y brillosos por el sudor, muy impropio de una dama, que había producido. Yo sentía la boca seca; imaginé el placer producido por chuparlos. De repente, sentí que la habitación se llenaba de vapor.

Una gran sonrisa se dibujó en el rostro de Lucy. Cuando hacía oscilar la caña, su cuerpo se balanceaba de lado a lado con ingenuidad, como si estuviera enseñando un vestido nuevo. Sus bellos senos temblaban en sus copas, como dos gelatinas de vainilla. Sus cremosos glúteos temblaban.

De repente, hizo una pausa y volteó la cara abruptamente para ver directo hacia mí, o al menos eso creí. Volvió a sonreír y frunció la boca como si mandara un beso, para mí, claro. Estaba molesta y enojada, pero aun así sentía que mi ropa interior estaba húmeda en la entrepierna otra vez, el líquido se negaba a dejar de fluir.

Lucy volvió la atención a su víctima.

—¡A la mitad de la recámara, Arthur!

El pobre hombre, obviamente adolorido, se dejó caer en el piso y se paseó en cuatro patas, Lucy lo guiaba con la vara.

—¡Alto! —gritó. Lo empujó para que se volteara y yo pudiera ver su trasero, que estaba terriblemente enrojecido. Le insertó la punta de la caña en el ano y la deslizó hacia adentro, donde ya no era cómoda.

El hombre llamado Arthur echó la cabeza hacia atrás y aulló como un perro cuando ella movió la vara de bambú de arriba abajo, aunque tuve la clara impresión de que el sonido era una mezcla de dolor y placer.

Vi cómo le temblaban los glúteos y su diafragma se ahogaba con la misma velocidad con la que ella incrementaba la fuerza natural de la caña. Desde donde estaba, no le veía el pene con claridad, pero lo poco que distinguí me indicaba que estaba erecto. Parte de esa vaga imagen me excitó.

Sin darme cuenta, en algún momento mis dedos llegaron a mis pezones. Me percaté de que estaba apretándolos y pellizcándolos a través de la blusa de algodón al ritmo de las estocadas de la caña.

El hombre estaba al borde de alguna conclusión cuando de repente, Lucy retiró la vara. El gritó que emitió se escuchó patético, y vaya que yo lo entendía bien. Lucy lo acompañó hacia una puerta, pero no la abrió para que saliera.

Una vez más meció la caña con brío y la azotó de nuevo en sus asentaderas, incrementando el número de encendidas rayas en lo que alguna vez fue una piel blanca, hasta que ya no pudieron contarse.

Era una imagen atroz, el hombre se retorcía en agonía, y yo me descubrí pegada a la pared, restregándome contra el floreado papel tapiz, intentando en vano encontrar alivio. Hoy se avecinaba otra tormenta aún mayor que la de la noche anterior. El aire que presionaba mi cuerpo era insoportable.

Lucy lo obligó a andar sobre la alfombra para que su cabeza quedara más cerca de la pared detrás de la cual me escondía.

—¡Voltéate!

Arthur hizo lo que se le ordenó. Ahora que estaba boca arriba, pude ver su bello y bien definido rostro; las largas patillas marrón oscuro que caían alrededor de su mandíbula; los ojos azules claro, cuyos bordes estaban iguales de rojos que su trasero; también vi su enorme virilidad.

Nunca había visto algo igual. Claro, tampoco conozco muchos.

El miembro del Dr. Steward era del mismo largo que el de Jonathan, pero mucho más delgado. Nunca he visto el de mi esposo, pero he sentido sus desganados intentos por acoger a la mujer que hay en mi interior.

Sin embargo, este hombre era la muestra a lo que podía aspirar la virilidad. El pene no sólo era largo, sino grueso, y la punta era una cabeza dignamente lograda; orgulloso, arrogante, masculino en toda la extensión de la palabra. Bajo su pene, los testículos montaban guardia, eran grandes, brillantes y abultados. La imagen me dejó sin aliento y provocó una nueva oleada de humedad, que se deslizó entre mis piernas. Del otro lado de la ventana, un relámpago brilló.

—Levántate recargado en tus manos y pies.

Arthur se levantó del suelo apoyándose en manos y pies, hasta que su cuerpo quedó convexo. La cabeza le colgaba entre los brazos, ahora yo veía ese rostro de Oxford de cabeza, y su gloriosa virilidad se erguía con orgullo, sobresaliendo de la ingle y quedando al aire. Parecía un gimnasta a punto de realizar una proeza.

Lucy se dirigió al escritorio y regresó con un aro de latón; lo deslizó en su miembro y también abarcó los testículos, de manera que el aro elevaba más su maravilloso instrumento. Lo apretó, y lo único que logró fue levantarlo más. Quería saber para qué lo hacía. Pero Lucy respondió la pregunta que no hice.

—Guardarás las eyaculaciones para ti, Sr. Holmwood, para que yo disfrute sin preocupaciones y tú te deleites con lo que te permita.

Lucy montó esa enorme criatura. Se hundió en él hasta que la vara de carne y hueso despareció en su interior. Se dibujó una sonrisa en su rostro, y el Sr. Holmwood gritó.

Apenas me sostenía en pie. Las ansías que inundaban mi interior, el vacío que anhelaba ser llenado una y otra y otra vez, me hicieron temblar sin control. El calor era asfixiante. Desesperadamente, sin saber lo que hacía, me desabroché las enaguas y dejé que ellas y mi ropa interior cayeran al suelo. Por instinto, mis dedos encontraron el bosque oscuro, un jardín al que nunca había entrado.

Lucy se levantó y volvió a deslizarse hacia abajo para que él la penetrara una y otra vez. El rostro de Arthur era color carmesí y su respiración tensa a causa del control que se le exigía.

Mis dedos se volvieron pegajosos mientras se deslizaban por el delicado montículo que había en esa jungla secreta; frotarla me hacía brincar y retorcerme. Un trueno sonó y mis piernas se separaron. Me incliné hacia delante, así el acceso era más fácil; mi trasero quedó volando en el aire.

Lucy se levantaba y se dejaba caer, rebotando, meciéndose encima de él; mi corazón latía al ritmo de sus movimientos y mis dedos bailaban en mi interior. La fuerte tormenta se aproximaba, lo sentía en todo mi tembloroso cuerpo.

Finalmente, encontré la fuente de mi humedad y penetré a la mojada cueva oculta. Cerré los ojos y eché la cabeza para atrás. Doblé las rodillas para deslizar casi toda la mano dentro de la húmeda gruta y explorarla.

Abrí los ojos un momento. Lucy se movía más rápido y lo apretaba con más fuerza. Arthur tenía la cara morada. Con cada penetración, los pezones de Lucy se levantaban más alto y su espalda se arqueaba.

Mi aliento se convirtió en jadeos irregulares. Tenía la mano hundida en mis propios fluidos; sentía la reacción de la piel en mi interior, la acaricié y le hice cosquillas una y otra vez. ¡La sensación era divina! Mi piel interior se tensaba conforme mi mano entraba y salía más rápido.

¡Zas!

Casi me da un infarto.

¡Zas! ¡Zas! El fuerte calor que sentí en el trasero me sorprendió tanto, que no pude ni gritar. El dolor se expandió por mi cuerpo como una yesca en busca de una chispa.

Giré. Verna estaba parada atrás de mí con una aterradora vara en la mano, parecida a la que tenía Lucy. Volvió a agitarla y la caña aterrizó perfecta en mi muslo. Grité.

—¡A la cama, señora! La señorita me dio órdenes.

No podía ni pensar en lo absurdo que sonaba, pues el dolor me volvió dócil. En la prisa por obedecer, me tropecé con la ropa atorada en mis tobillos, y mi torpeza provocó que el bambú volviera a lacerar mis glúteos.

A pesar de la maraña de ropa, llegué a la cama a trompicones y me dejé caer en la colcha, boca abajo.

Yacía allí, indefensa, mientras Verna me aplicaba la vara. La caña entrecruzó mi trasero en ambas direcciones. Aullé, justo momentos antes había escuchado gritar al Sr. Holmwood. En ese instante, entendí por completo el extraño sonido que despidió su garganta. Cada latigazo de la vara provocaba que deseara otro, que lo necesitara. Grité sin control, ansiosa de que la caña atravesara mi bosque secreto como un fuego abrasador. Con los glúteos fritos, el líquido que había en mi interior burbujeaba, amenazando con estallar en cualquier segundo.

De repente, Verna se detuvo.

—La señorita Westenra ordenó una docena de fraile, no más, y eso es lo que administré.

Me quedé llorando. El trasero me punzaba de dolor. Mi interior vibraba. Una violenta lluvia se estrellaba en la ventana. Mi agonía suplicaba alivio. Pero esta noche no lo habría.

Verna apagó la lámpara y cerró la puerta cuando se fue.

Las horas pasaron furiosas, el tremendo calor dejó vibrando a todo mi cuerpo. Me daba terror intentar satisfacer mis ansias, temerosa de que la vara apareciera como por arte de magia y retomara nuestra relación. El miedo era mayor que ponerle fin al delicioso tormento que sufría, y eso tampoco lo soportaba.

Así que sufrí, en sueños era yo quien azotaba a Arthur, al Dr. Steward y, con más placer, a Jonathan, pero Lucy y Verna también me golpeaban de la peor manera; todo mientras la lluvia caía con furia.

La noche fue deliciosamente tormentosa y di gracias de que a la hora que me levanté, casi al medio día, mi trasero todavía portaba las furiosas marcas rojas, muestra de que no todo fue un sueño.

En el desayuno, descubrí que debía sentarme con cuidado, pues mis glúteos eran sensibles al duro asiento de la silla. Las heridas de mis asentaderas me provocaban un ligero estremecimiento, y me descubrí teniendo fantasías con otra golpiza y con cómo podría prolongarla.

Lucy entró al comedor radiante de energía, con la cara llena de color. Me pellizcó una mejilla y se sentó junto a mí, colocándose la servilleta en las piernas.

—¡Mina, la pasé de maravilla con Arthur! Claro que no lo conoces, pero es un amigo muy querido de la familia. Me propuso matrimonio.

—¿Cómo? ¿Otro? —espeté.

—Mina, no seas tonta —se rio—. Tengo hombres a montones.

—Bueno, ¿y a quién vas a aceptar? —pregunté.

Mostró una sonrisa maliciosa.

—Quizá deberías conocer al tercero antes de preguntármelo.

Ahora estaba impactada.

—¿Tres hombres pidieron tu mano? ¿Eso es correcto?

—¿Correcto? —Se puso de pie de un saltó y me abrazó, apoyándome sin querer contra la silla. Un gritito salió de mi boca, queja del trasero que me ardía.

—Anoche mandé a Verna para que te visitara, pues yo no pude. Espero que haya hecho lo que le ordené. ¿Dormiste bien o estuviste incómoda?

Me ruboricé.

—Dormí... lo suficiente.

Lucy tomó un pedazo de pan tostado y un trago de jugo de naranja; después, desde la puerta, gritó:

—Mina, querida, tengo que atender un aburrido asunto legal sobre la casa. Nos vemos para cenar con Quincey. Tienes que conocerlo. Él es del tipo de los que debe conocerse íntimamente.

Pasé el día cuidándome las heridas, que me excitaban sin fin, aunque para en la tarde deseaba que estuvieran frescas y no que fueran mejorando.

Verna apareció a intervalos regulares para ofrecerme té y después la comida. Sus ojos se clavaban en mí, no como los sirvientes ven a la señora, sino como una mucama que analiza con cuidado la alfombra para determinar la severidad de los golpes que necesita para solucionar su imperfecto estado.

Decidí dar un paseo ya entrada la tarde. Montar a Capullo de Rosa despertó el dolor de mi trasero, y los rebotes me recordaron el ritmo de la caña con sus miles de usos. Hoy, mi montículo estaba rojo y ardiente, mandaba olas de placer por todo mi cuerpo al tiempo que tocaba mi piel viva. Sólo deseaba tener la libertad de montar a pelo.

Me dirigí al acantilado del Este y desmonté para descasar. En la parte inferior, un grupo de hombres, trabajadores por su musculatura, descargaban los restos de un barco que había llegado a tierra durante la noche. Llevaban cajas grandes a la bodega. Aunque se agachaban y levantaban los cajones por los lados, las olas estrellaban la proa del navío en las rocas. En todo el día de hoy, el ritmo de la caña se repetía solo. La vida iba y venía, se elevaba y descendía, dolor y placer.

Capullo de Rosa estaba ansiosa por volver. Discretamente, me quité la ropa interior y la metí en la chaqueta. Monté la yegua a horcajadas y coloqué mi falda de montar de tal manera, que viajé a casa con los glúteos desnudos, a pelo. Galopeé tomando el camino más largo, aterrada de que alguien fuera testigo de mi falta de propiedad, aunque la sensación era deliciosa. El duro cuero se estrellaba continuamente en la abertura que había entre mis piernas separadas y, al mismo tiempo, golpeaba mi trasero. A la hora que llegamos a casa, me sentía bien azotada, gracias al ritmo continuo de Capullo de Rosa. De inmediato, me senté de lado, pues aún no tenía el valor suficiente para soportar desaprobaciones.

Verna sostuvo las riendas mientras yo, sin aliento, desmontaba. Por la expresión de su mirada, sospeché que percibió la desnudez que había bajo mis enaguas. La silla color habano estaba húmeda y despedía un olor agrio.

—El paseo le dio a sus dulces mejillas el color que necesitaban —Verna dijo y se fue.

Capítulo nueve

Me vestí con elegancia para la cena con uno de los hermosos vestidos de Lucy, que me prestó para la ocasión. Tenía un brocado verde claro y escote —a decir verdad, mucho más bajo de lo que se considera decente— con adornos de tul. Jonathan se hubiera escandalizado, pero no estaba aquí.

Pensar en mi esposo me afligió. Había fracasado en sus obligaciones para conmigo. Conocí el erotismo hace poco, y quería más. Pero Jonathan era moralista. Agente de bienes raíces de profesión, y coleccionista de estampillas por gusto. Estaba segura de que no entendería esos deseos.

Lucy había dejado un polvo rosa en mi tocador, así que me apliqué un poco en los labios, en los pezones y el área que los rodea. El tono rojo hacía que se vieran saludables e indicaba las ansias que sentía.

Tal vez Quincey, quien quiera que sea, es muy entretenido. En muchos sentidos, este descanso cerca del mar había estado lejos de serlo, aunque pasé demasiadas horas sola. Quizá un poco de presencia masculina lo remediaría.

Lucy y un hombre alto, de espalda ancha, estaban parados en las puertas francesas del comedor. Voltearon cuando entré.

El señor tenía cabello negro, peinado hacia atrás y engomado. De inmediato, me di cuenta de que era estadounidense. Sus ojos oscuros se fijaron en mí y sentí que el miedo y el placer sacudían mis muslos.

—Mina, querida —Lucy me besó en la boca y me aventó hacia delante, ofreciéndome como un regalo a ese hombre—. El señor Quincey Morris. Quincey, mi mejor amiga, Mina.

—Señora —Quincey dijo y me besó la mano. Sus labios eran carnosos y húmedos, sentí su marca como si me los hubieran tatuado.

—¿No es un encanto? —Lucy exclamó, añadiendo—: Es de Texas.

—¿En serio? Pregunté, sin saber qué más decir.

Cenamos carne al horno, pudín Yorkshire y postre de chocolate, que Verna había preparado para la ocasión. Conversamos mientras comíamos.

Me enteré de que el Sr. Morris se dedicaba a criar animales. Caballos.

—Debe montar con frecuencia —dije.

—Todos los días, Mina. Aunque ciertos lugares lo resienten, ¿me entiende? —Sus oscuros ojos se rieron.

—Claro que te entiende —dijo Lucy, y sentí cómo me ruborizaba.

Había venido a Inglaterra de negocios y no se quedaría mucho tiempo. Sin embargo, Lucy se las ingenió para conocerlo y él para proponerle matrimonio.

Hablamos de muchas cosas mientras cenábamos, incluyendo a Jonathan, momento en el que la comida empezó a hacerme daño.

—Señora Harker, ¿hace cuánto que su esposo se fue?

—Hace mucho y a la vez no tanto —dije, en un tono cándido e ingenioso poco común en mí.

—Mina está recién casada, Quincey —Lucy le comentó—. Todavía están adaptándose.

Quincey se rió; fue una risa sonora que no pareció mal intencionada, aunque sabía que estaba burlándose de mí.

—Caray, en Texas los hombres aprendemos de los caballos. Si un macho ve a una yegua que le gusta y ella está dispuesta, lo hacen en el acto, sin ningún problema. Así son las cosas en mi tierra.

—Interesante actitud, Sr. Morris —dije—. Supongo que en Inglaterra somos más formales.

—Algunos —me corrigió Lucy—. En lo personal, creo que es novedoso. Si hombres y mujeres quieren explorar sus naturalezas animales, no estoy de acuerdo con que los convencionalismos lo impidan. Después de todo, son actos muy naturales.

—Supongo —intervine, percibiendo que el sentimiento era contrario a mí, aunque sin comprender cómo me había asignado el rol de oposición oficial. Después de los últimos días, ya no sabía con seguridad en qué creía. Pero de lo que sí estaba segura, era que mi vida había cambiado. Cuando Jonathan llegara a casa, no encontraría a la mujer que dejó. Esa idea me asustaba y me emocionaba.

Jonathan. Había sido muy dura con él en mi mente. Desde que llegué, no le había escrito ni una carta. Claro, yo tampoco había recibido nada, aunque el correo tenía que ser reenviado desde Londres.

Observé a Lucy y a Quincey. Hacían muy bonita pareja. ¿En qué estaba pensando? Seguía siendo la señora de Jonathan Harker. Nada había cambiado eso. Tal vez haya tenido ciertas experiencias que despertaron mis sensibilidades, pero mi lealtad era clara.

Me disculpé a pesar de las protestas de Lucy y Quincey, y me retiré a mi habitación, decidida a que esa noche le escribiría a Jonathan. Para bien o para mal, era mi esposo y al menos le debía lealtad.

Había escrito media página, cuando oí ruido del otro lado de la pared. Le di la espalda al retrato del serio familiar, convencida de que esa noche ignoraría el comportamiento lascivo de Lucy. Ella tenía su vida y yo la mía. Podríamos ser buenas amigas, pero eso no significaba que debíamos compartir todo.

Pero el ruido continuaba y no podía concentrarme. A pesar de toda mi fuerza de voluntad, me descubrí haciendo a un lado el retrato y espiando por el agujero.

Quincey estaba sobre pies y manos, desnudo, salvo la brida que traía en la cara y el freno entre los dientes. Lucy, también desnuda, y sus coquetos senos sacudiéndose con cada movimiento, se montó en la espalda de él. Ella dobló las rodillas y eso hizo que su pequeño trasero sobresaliera. Con la mano izquierda levantaba alto y con fuerza las riendas, guiando la cabeza del Sr.

Morris para un lado, y luego para el otro, como si fuera un caballo. En la otra mano traía la fusta, que dejaba caer con fuerza en sus desnudos glúteos.

La escena me paralizó. Quincey galopaba en la habitación y Lucy le daba latigazos continuamente, rebotando con alegría en su espalda, jalando la rienda a la izquierda y a la derecha, gritando "¡Arre! y "¡Ooh!" como dicen en las novelas estadunidenses de vaqueros.

Quincey brincaba como un buen corcel. El cabello oscuro le había caído en la cara, así que parecía crin. La transpiración hacía brillar sus bien definidos músculos, que se mecían con la presión del movimiento directo de Lucy. En algún momento que ella jaló las riendas, se paró apoyado en las rodillas y pude ver un pene tan firme y erecto, que grité fuerte.

Los dos voltearon a la pared.

—¡Mina! —dijo Lucy.

Me hubiera escondido, pero el tono de su voz lo impidió.

—¡Mina, ven aquí en este momento!

Al principio, no pude moverme, pero de repente descubrí que mis piernas me llevaban a la puerta, por el pasillo, y al interior de la habitación de Lucy.

—¡Quítate la ropa! —me ordenó. Sus ojos color amatista y las oscuras órbitas de Quincey brillaron al fijarse en mí.

No moví un solo músculo.

—Te la quitas o te la quito —La voz de Lucy era dulce, pero sin lugar a discusión.

Despacio, desabotoné el vestido prestado. La tela susurraba conforme se deslizaba por mi cuerpo hasta llegar al suelo. Luego, enrollé las medias hasta los tobillos y me las quité, después de los zapatos. Mi ropa interior me dio vergüenza; era lisa, de algodón, sin adornos, del tipo práctico, no las bellas piezas que usaba Lucy, así que me la quité rápido. Como el vestido de mi amiga era una talla más pequeña que la mía, tuve que ajustarme el corsé más de lo normal. Disimuló mi cintura, aumentó mis senos, y sacó tanto mi trasero, que se veía tan redondo como el de Lucy. Mis dedos se movían con nerviosismo y luchaban con los ganchillos; parecía que la labor me llevaría una eternidad, aunque a Lucy y a Quincey no les importaba. Sus miradas recorrieron mis partes expuestas, lo que me trajo a la cabeza la imagen de depredadores hambrientos.

Una vez desnuda ante ellos, Lucy se bajó de la espalda de Quincey y la señaló con la fusta. Sin pudor, me senté en ella, sobre el cálido sitio que hacía poco mi amiga ocupaba y donde aún permanecían sus dulces y resbalosos fluidos. Dos pequeños estribos habían sido enganchados a los costados de este hombre, y me hice hacia delante para meter los pies en ellos. Así, mi cuerpo quedó inclinado y mi trasero al aire, como un jockey en Ascot.

Lucy me entregó las riendas y una segunda fusta.

—Bueno —dijo con suavidad—, es una bestia obstinada y no se moverá hasta que la golpees con fuerza.

—¿Lo azoto? —me escuché estúpida. Nunca le había pegado a nadie con una fusta. La idea me atemorizaba.

—Dale bien o te pego yo —Volteé a verla y sonrió, pero sabía que hablaba en serio.

Dejé caer la fusta ligeramente sobre su trasero.

El látigo de Lucy azotó mis glúteos y di un grito.

Decidida a hacerlo bien, le pegué con más fuerza y sentí cómo tembló. El sentimiento era una deliciosa sensación de poder. Había un animal entre mis piernas. Una bestia que necesitaba que la domaran. Una fiera que aprendería a controlar.

La fusta de cuero volvió a estrellarse en mí, una vez en cada glúteo con rapidez, para que entendiera.

Entonces, usé la mía en el trasero de Quincey y golpeé sus costados con las rodillas.

Al principio, se paseó con lentitud por la habitación, mi fusta besaba sus asentaderas y la de Lucy sacudía las mías. Al poco tiempo, el señor Quincey Morris, de Texas, galopó en la alfombra como el pura sangre estadunidense que era, respondiendo a mis caprichos.

Cuando llegué, sus glúteos eran color rosado. Pero una rápida ojeada sobre mi hombro me dejó en claro que brillaban considerablemente, como los míos, que se pintaban de rojo y resaltaban contra la blanca piel de su espalda.

Con cada galope, me elevaba en el aire, para recibir el correspondiente latigazo, y después caía, para que mi montículo rebotara una vez más en su caliente y sudorosa piel.

Cabalgamos así durante una buena hora. Yo encima de Quincey, azotándolo, y el látigo de Lucy acacariándome con locura, hasta que el hombre cayó sobre la alfombra, exhausto.

—¡De rodillas! —ordenó Lucy. Quincey, como un caballo que se había caído, luchó por hacerle caso a su ama, cuya fuerte fusta de delgado cuero castigaba su piel.

—¡Levántate! —me dijo—. También ponte de rodillas.

Hice lo que me pidió, pero la lengua del punzante cuero hizo que me diera prisa.

Lucy lo montó y viajó en él en círculo, hasta que quedaron atrás de mí. La emoción me tensó. Todas las marcas de los latigazos que había en mi trasero punzaron al unísono con mis inflamadas asentaderas. Me quedé sin aliento, esperando, excitada, temerosa.

Lucy le empujó para que avanzara. Oí cómo el látigo se estrelló en él.

—Mina, abre las piernas —ordenó, y obedecí.

Segundos después, sentí algo cerca de mi abertura. Aliento tibio. Una húmeda lengua se deslizó desde el frente de la hendidura hasta el ano, donde se quedó. Temblé al contacto. Carnosos labios chupaban y saboreaban mi ano, obligando a que gritos de placer y vergüenza salieran de mi garganta. Una lengua firme me penetró. Volví a gemir, la fusta se estrelló en él y sentí cómo tembló. La lengua dejó mi ano limpio y regresó a mi sensible abertura femenina.

El placer era tan intenso, que apenas lo soportaba.

Por instinto, bajé el pecho y acerqué el trasero a su cara. Sorbió mis secreciones, limpió las capas y los pliegues externos, mordisqueando mi inflamado clítoris.

Escalofríos recorrieron mi cuerpo. La fusta volvió a golpearme, incrementando mi placer.

Entonces, su lengua me penetró. Ningún hombre, más que Jonathan, me había penetrado. Me sentí indecente. Sucia. Vulgar. Excitada.

Supliqué — Lucy, azótame. ¡Te lo ruego! —Me hizo caso, elevó y dejó caer el látigo con rapidez, golpeó ambos glúteos y me obligó a perder el decoro, gemí e imploré para que ninguno de los dos se detuviera.

La lengua de Quincey entraba y salía de mí, su boca besaba mi piel, enviando chispas de sensación a todo mi ser.

Gemí y grité, mientras ellos seguían con la lengua y la fusta.

Lengua, fusta. Lengua, fusta. Ambos me producían tortuoso placer y exquisito dolor. Me preguntaba si podría seguir así para siempre. ¿Podría empezar y empezar y nunca llegar a la cima? Pero aun así, sentía la intensificación, me acercaba al pico de la montaña que me enseñaría imágenes que ansiaba ver.

De repente, Lucy jaló las riendas con brusquedad. La lengua y la boca de Quincey se esfumaron. La fusta desapareció.

Me quedé apoyada sobre manos y rodillas, con el trasero al aire, mi interior punzaba, el fresco aire de su lengua ausente atenuaba el calor.

Volví sobre mi hombro. Quincey estaba boca arriba y Lucy encima de él, montándolo, con su enorme virilidad traspasándola.

De repente, Verna apareció en la puerta, con un látigo en la mano. Vino directo hacia mí.

—¡No! —grité.

Su fusta encontró mi trasero sin demora. Me sacó a latigazos de la habitación, por el pasillo y de regreso a mi recámara; yo iba apoyada sobre manos y rodillas. Los golpes eran muchos y los aplicaba con fuerza.

Ya en mis aposentos, Verna me levantó del cabello y me aventó a la cama. Entonces me aplicó bien la fusta, azotando con la lengua de cuero y el mango mis ya inflamados glúteos, la parte posterior de mis muslos, los tobillos. En el instante le rogué que se detuviera. Mi cuerpo temblaba como el latido de un corazón. Si no dejaba de golpearme, moriría.

Se detuvo, como le pedí, pero me pareció que fue muy pronto. Apagó la luz y se fue. Otra vez, hasta la mañana, mi cuerpo ardió en agonía por la casi violación.

Me quedé acostada en la cama boca abajo, llorando. ¿Nunca conoceré la satisfacción? ¿Nunca probaré la magia que otros dan por sentada? Lucy y su multitud de pretendientes. Verna y Hodge. ¿Y yo? Me iré pronto. ¿Qué me espera? El recatado de Jonathan. Un buen hombre. Un ser humano recto. Una persona que no usaría una fusta ni siquiera en un caballo.

Lloré de amargo desencanto, me sentía como un capullo que nunca florecería, sino que moriría en la rama.

Capítulo diez

La siguiente noche sería la última de mi visita. Una vez más, no supe nada de Lucy durante el día. Sólo tenía mi lastimado trasero para entretenerme.

Lucy llegó cuando estaba cenando, pero no me acompañó. Poco después, llamaron a la puerta. El Dr. Steward se dirigió a la sala, donde yo disfrutaba una copa de brandy sentada en un suave sillón.

—Señora Harker.

—Doctor. Lucy está en su habitación. Mandaré a Verna por ella.

—No será necesario —Lucy estaba parada en la entrada de la puerta. Portaba un vestido de satén y una capa negra de terciopelo con capucha, como si estuviera lista para asistir a la ópera.

—Qué bueno que viniste, John, pero esta noche no puedo atenderte. Quizá Mina sea tan amable de entretenerte.

Otra vez me quedé sin palabras. ¿Lucy estaba ofreciendo mis servicios como golpeadora a este hombre que era un desconocido para mí? El brillo de su mirada indicó que no le desagradaba la idea, aunque tuve la clara impresión de que estaba tan enojado con Lucy como yo.

—No me esperen despiertos —nos dijo a ambos—. Conocí a un europeo fascinante. Un lord, el conde Drácula. Me acompañará al teatro y volveré tarde a casa. Muy tarde.

PARTE 3:

JONATHAN

Capítulo once

Alguien debió llevarme a la cama, porque cuando desperté estaba en mi habitación del Castillo Drácula, sin poder moverme. Solo.

Magda hizo un buen trabajo conmigo, eso es seguro. Su severo látigo laceró mis extremidades y todo mi dorso. Me dejó suspendido en el potro durante horas, hasta poco antes del amanecer. La mujer es un demonio, cosechó placer a costa de los gritos de mi garganta.

Nunca había conocido una mujer tan metódica. Empezó con mis hombros y bajó por la espalda, quemándome la piel con la agresiva punta del látigo. El mero sonido de su estruendo en el aire me aterraba. Cada golpe me partía la piel, me hacía pensar que no lo toleraría. Hasta que llegaba el siguiente.

Bajó lentamente por mi espalda y me imagino que las tiras que me torturaron no estaban a más de 2.5 centímetros de distancia una de otra. Si el Conde no hubiera roto mi espejo de afeitar, hubiera podido ver. Pero no había espejos en el castillo, o al menos no encontré uno solo.

Cuando llegó a mi cintura, hizo una pausa y regresó a mi pene, que aún sufría del otro lado del potro, erecto, pero solo, excepto por los testículos, que también había obligado a asomar por los alambres. No quería tener una erección. La situación no lo ameritaba. Aun así, el dolor me pareció extraña y sexualmente estimulante. Pero los alambres evitaban que eyaculara.

Tenía la espalda en carne viva, entonces Magda usó la punta del látigo para azotar mi pene y testículos. Lo hizo una y otra vez, lloré sin pudor. Para mi sorpresa, mi amigo no se daba por vencido. Se defendía de los intentos de ella por acabarlo. Y cuando el calor amenazaba con hacerlo explotar, de repente una boca fresca se deslizó en él y unos dedos dieron masaje a mis inflamados testículos. Los gritos de dolor se convirtieron en gemidos de placer. Lo lamió y lo chupó hasta que se sintió lleno y listo para estallar. Pero no pude venirme. Quizá por la manera en la que las correas sostenían mis genitales, o tal vez por la conciencia que surgió para informarme que otra mujer, que no era mi esposa, intentaba vaciarme. No sé qué contuvo mi impotencia. Aunque parecía que a Magda no le importaba.

Volvió a tomar el frasco del aceite herbal. Antes de reanudar su despiadado trabajo, llenó de aceite la parte inferior de mis costados; frotó el líquido, que provocaba comezón, en mis glúteos, alrededor del monstruoso pene de cuero que el Conde me había puesto la noche anterior y que aún portaba. El instrumento invasivo no era incómodo, pero sí muy doloroso cuando mis músculos se tensaban, como sucedía al contacto con el látigo, pero aun así la sensación no era del todo desagradable. Para mi sorpresa, descubrí que entre más portaba esa "cola", tal cual, más la sentía parte de mí, una parte sensual y necesaria.

Magda continuó con la entrepierna, la parte interior de mis muslos, las nalgas, las caderas, los tobillos y los pies. El líquido picaba, pero aliviaba el fuego que consumía la parte superior de mi cuerpo.

Cuando quedó satisfecha, agarró el temido látigo y volvió a empezar.

Claro que nunca me habían azotado, ¿a qué hombre civilizado sí?

Una o dos veces, mis coetáneos me pegaron con la palmeta en la escuela, como iniciación a la fraternidad. Fue suficiente para saber que un trasero en llamas no era una sensación desagradable, pero no se presentó la ocasión de repetir la aplicación y nunca la provoqué. Eso fue todo, hasta que el Conde usó las varas en mí.

Pero era diferente, completamente.

Magda es una mujer bella, aunque su verdadera naturaleza me desconcierta. Ella y las otras mujeres son como el Conde, pero no sé decir qué. Tienen la piel pálida, como si necesitaran tomar sol, lo que evitan como a la plaga. Su cabello rojo es grueso y rebelde, y sus ojos verdes siempre brillan. Su figura es perfecta, sus senos invitan a que los bese, y su generoso trasero suplica que lo apriete. Claro, anoche ya no era blanco, pues quedó marcado por el fuego que le infligí por órdenes del Conde.

Fue una experiencia poco común. Por un lado, controlar su agonía me satisfacía de una manera desconocida. Pero también, una parte de mí deseaba oponerse a ser un mero instrumento que el Conde utilizó para castigar a Magda. Aunque por lo sucedido la noche anterior con el Conde, descubrí que resistirse a su voluntad era imposible.

Esa noche fue diferente a cualquier otra experiencia. Cuando el Conde me encontró haciéndole el amor a su esposa, y descubrió que las otras dos consortes me excitaban, su ira cayó sobre mí. No resultó extraño que me golpeara y sentí que me merecía el dolor de esa paliza. Aun así, me dio vergüenza que me cargara como a una mujer, aunque algo surgió mientras yacía en sus fuertes brazos y él recorrió con grandes y determinantes zancadas el castillo, subió la escalera de piedra y se dirigió a mi habitación.

De manera abrupta, abrió la ventanita y me depositó en ella. Muchos pisos nos separaban del suelo. El frío aire de la noche soplaba contra mi tembloroso cuerpo desnudo.

—Conde Drácula, no sé qué decir —tartamudeé—. Cómo suplicarle que me perdone...

—¡No hay perdón, sólo venganza! —dijo en una voz baja que me aterró.

Sostuvo mis brazos hacia atrás con una sola mano y abrió la boca. Largos colmillos aparecieron ante mis impresionados ojos. Su rostro era una máscara de hambre y dominio. En la semioscuridad, sus ojos brillaban rojos y furiosos, esperé temblando que el final de mi vida se acercara pronto.

Hundió sus dientes en mi garganta. La filosa penetración en mi yugular se convirtió en un dolor punzante continuo, como si los colmillos estuvieran hechos de ardiente yesca. Su fuerte abrazo impedía que me moviera, pero mis caderas lograron restregarse en él. Su cuerpo era una roca de músculos. Sentí su enorme pene a través de la ropa, duro e insistente conmigo, y un escalofrío me recorrió el cuerpo. Mi miembro se endureció más. El Conde pegó la boca a la piel de mi garganta y tuve la sensación de que algo vital abandonaba mi cuerpo. Así, ansiaba darle eso y más, lo que quisiera.

Cuando tomó lo que quiso, me volteó, de la cintura, y me empujó a la ventana. Creí que iba a aventarme, precipitando mi muerte en el rocoso suelo que yacía a gran distancia. Pero sólo colgó la mitad de mi cuerpo, por lo que mi pecho y brazos se movían con libertad en la noche, y mis piernas y trasero se quedaron dentro de la habitación, sin poder tocar el piso. Me tomé de las grandes piedras que formaban el muro del castillo, aterrado por mi vida.

De inmediato, luché por enderezarme y volver adentro, pero algo que amarró a mi cintura me sostenía con fuerza donde estaba, y todos los intentos por hacerme hacia atrás encontraban resistencia. Mis pies volaban en el aire y no tenía manera de apoyarme para entrar a la recámara. Estaba a su merced.

Además, la noche era fría, grandes ráfagas de viento obligaban a las ramas del árbol desnudo a lacerar el aire. A la distancia, los lobos aullaban. Una luna llena estaba suspendida en el oscuro cielo y nubes grises azotaban su superficie con rapidez. La parte superior de mi cuerpo temblaba de frío; la inferior, ardía.

Una vara golpeó mi trasero y me hizo saltar. El viento se tragó mi grito. Otra laceración de la caña. Una más. Sabía, por nuestra breve relación, que el Conde no era un hombre de medias tintas. Me azotó sin piedad, con una fuerza impresionante. Nada me preparó para este continuo y severo castigo.

Aullé en la noche, atrayendo a los lobos hacia el patio que había abajo. Tres de ellos levantaron la vista, sus rojos ojos brillaban a la luz de la luna; gemían en lo que imaginé era un gesto de piedad por la implacable tortura que enfrentaba.

El Conde no dijo nada. Sabía que era un hombre de pocas palabras y más inclinado hacia la acción. La energía que se desperdiciaría en amenazas y explicaciones, se canalizó en su poderoso brazo cuando empuñó las varas para atravesarme el trasero.

Conforme me golpeaba, mis piernas trepaban por la pared interior del castillo, luchando por escapar. Ahora sé que eso me convirtió en un objetivo más prominente para el azote de las verdes varas.

No sé cuánto tiempo me golpeó. Cambió de instrumentos muchas veces, presumiblemente los gastaba en mi piel. No había experimentado un dolor tal por esa duración, y saberlo me molestó. La luna había recorrido medio cielo cuando terminó, o eso pensé.

Estaba cojo, mi trasero era una masa de carne viva, chamuscada, y la parte superior de mi torso estaba casi congelada. La sensación opuesta me provocó escalofríos y temblores. Las lágrimas me avergonzaban, pero salían a borbotones de mis ojos. Las punzadas producidas por la flagelación endurecieron mi pene. Debido al ángulo en el que yacía, el muro lo oprimía hacia abajo y no permitía que se desplegara hacia arriba.

Dos largas manos tocaron mis ardientes glúteos y la hendidura que los separaba sintió que se partiría. Eso presionó mi pene con más fuerza hacia abajo. Me tensé, no tenía idea de lo que vendría a continuación. Era como si un médico estuviera examinando mi ano, lo picó, lo palpó, le metió el dedo, lo sacó, lo evaluó. ¿Cuál era su intención? No sabía. Había oído que algunos hombres usaban a otros hombres como mujeres, pero en Turquía; aunque para mi horror, me di cuenta de que estábamos cerca de la frontera con ese país y que el mismo Conde me había dicho que la educación básica la recibió allí.

—No tengo más tiempo para usted esta noche, señor Harker —dijo el conde Drácula, como si estuviéramos discutiendo las costumbres británicas, igual que la noche anterior. La implicación en su tono era que nuestra íntima conversación continuaría en algún momento futuro—. Entiende que debo encargarme de Magda y de su placer o falta de.

Lo que sucedió después sólo puedo describirlo vaga-
mente. El dolor me partió en dos. Un objeto largo, del
que desconocía su naturaleza, me atravesó en el mismo
agujero. Penetró a tanta profundidad, que de inmediato
solté un alarido que golpeó a la noche.

Después de eso, perdí la conciencia, hasta que el
Conde fue a buscarme más tarde y me llevó a la ha-
bitación de la torre, donde me vi obligado a castigar a
Magda, quien a su vez, se vengó.

Mientras colgaba del potro al que ella me había amarrado, ese diabólico pene de cuero seguía firme en su
lugar, como recuerdo constante del poder del Conde.
No sólo me lo había dejado durante dos noches, sino
que esperaba usarlo por lo menos hasta la velada siguiente, pero no estaba decepcionado.

Sucedió una cosa peculiar. Cuando Magda me amarró al potro, indefenso ante su látigo español, legado del
Conde, que se introdujo en mi ano, empezó a parecer
necesario. Era doloroso, sin duda, pero el dolor no me
molestaba, formaba parte de mí. Me produjo la imagen
clara de estar entre sus brazos, mientras me tomaba del
cuello y me controlaba por completo y en silencio con
las varas, sin advertencias y sin la capacidad de alejarme
de él. Nunca había conocido a alguien tan poderoso, tan
en control. Jamás me habían dominado por completo.

Magda interrumpió mis pensamientos.

—Jonathan, estamos lejos de terminar, pero tengo
que hacerte una pregunta. ¿Cómo le haces el amor a
tu esposa?

Su impertinencia me enfureció, pero no me quedaba más que responderle; después de todo, ella tenía el látigo.

—Mi esposa es una mujer cariñosa.

—Ésa no es respuesta, pero me lleva a hacerte otra pregunta. ¿La has azotado o ella a ti?

—No seas ridícula. Somos británicos, civilizados, aunque en esta parte del mundo no conocen el significado de esa palabra.

Magda encontró el aro que estaba en la punta del pene de cuero. Lo sacudió, provocándole un espasmo a mi ano.

—¿Y tus fantasías, Jonathan? ¿No te la imaginas sobre tus rodillas? ¿No piensas en el ardor provocado por su mano golpeando tu trasero? —Enfatizó la pregunta dándome una nalgada en un glúteo primero, y después en el otro.

No se lo confié a Magda, pero a decir verdad, sí tenía esas fantasías. Pero eran sólo eso, fantasías. Mina no es el tipo de mujer que se prestaría para semejante juego erótico. Es de buena familia, con altos valores morales. Una vez que vimos a dos sabuesos en celo en las calles de Kensington, casi se desmaya. Nuestra manera de hacer el amor era decepcionante al máximo; lo hacíamos en la oscuridad, bajo las sábanas, dos veces a la semana. De sólo recordarlo, mi erección mermó. Pero Magda lo arregló.

Mientras recordaba en silencio, ella se preparó para otro ataque.

—Quizá esto te ayudará a aclarar tus pensamientos.

El cuero serpenteó en mis tobillos, uno a la vez. Con rápida precisión, subió a mis pantorrillas, alternándolas, después a la parte posterior de mis muslos. Esas áreas no estaban preparadas para dicho tratamiento. Los músculos de las piernas se acalambraron al tiempo que la piel ardía. Se detuvo poco antes de llegar a mis glúteos. Sabía que algo iba a pasar, había azotado toda la parte de atrás de mi cuerpo, excepto el trasero. Mi ser cantó en voz alta, excepto mis asentaderas, y tembló a la expectativa de un solo obligado.

—Reservé lo mejor para el final —dijo, leyéndome el pensamiento—. Dime, Jonathan, ¿qué prefieres? ¿Ser el azotador o el azotado? Piénsalo bien.

Sabía que cualquier respuesta estaba mal, o quizá ambas eran correctas. Pero no confiaba en Magda. No me quedaba duda de que la piel de mis glúteos no se escaparía a su peligroso látigo.

—Me da igual —dije, esperando que pasara lo mejor.

—No te creo. Creo que te inclinas por uno o por otro, pero te da miedo elegir porque no estás entrenado.

—Muy bien —le respondí—. Azótame, pues de cualquier forma lo harás.

No dijo nada, como si estuviera pensando en mi respuesta. Frotó más del aceite que pica en la piel en mi trasero. Como nunca me habían dado latigazos, desconocía si el aceite aumentaba el dolor, pero sabía que Magda tenía una razón para usarlo, y así fue. Sus dedos dieron masaje y apachurraron mis glúteos, frotándolos en todas direcciones. La sensación de irritación se mezcló con la de mi ardiente piel y mi pene otra vez erecto.

—Tienes un cuerpo firme, aunque suave en algunos lugares. Todavía no eres hombre.

—Mujer, si no estuviera amarrado —le advertí, sintiéndome ultrajado y desesperanzado—, te haría mía en este momento aquí, en el piso, y por fin conocerías a un hombre.

Para mi sorpresa, me soltó. Otra vez era un ser libre, aunque algo maltratado.

—Bueno, ¿fue una vana promesa?

—¿Promesa? —dije, a pesar de que sabía a qué se refería.

Señaló mi pene, aún inflamado de deseo y después lo acarició muchas veces con la punta del látigo.

Pero ya estaba cansado de sus azotes. Tomé a la mujer y la tiré al suelo. Había lacerado mi cuerpo y ahora yo la lastimaría.

Impedí que se levantara y le separé las piernas con las rodillas. Mi pene estaba muerto de hambre a causa de la larga noche de malos tratos, y encontró el horno con facilidad. La penetré profundamente. Una sonrisa se le dibujó en el rostro, así que entré y salí de ella con fuerza. Sus piernas abrazaron mi cintura, obligándome a llegar más adentro. Parecía que su vagina también estaba muriéndose de hambre y yo era la fuente de su alimento.

En segundos, arqueó el cuerpo y gritó, su vagina se contrajo con fuerza a mi alrededor. La penetré más, mi pene estaba a punto de explotar.

Pero la explosión la sentí en los glúteos. Mi cuerpo se sacudió, levantándonos a Magda y a mí del suelo. El látigo volvió a estrellarse en mí. La mano que lo sostenía era mucho más fuerte que la de Magda, al instante supe a quién pertenecía.

—Una vez más está ocupado con mi esposa, señor Harker. Si fuera usted, me apresuraría a terminar la tarea que tan desconsideradamente empezó.

El cuero volvió a partirme la piel. No pude hacer más que lo que me ordenó.

Magda estaba acostaba debajo de mí riéndose. Su vagina me apretaba, incitándome a la satisfacción, pero el látigo me dificultaba la concentración. Me movía interrumpidamente, el frágil ritmo se veía alterado con cada azote. No sabía qué hacer. El dolor producido por su mano era casi insoportable, pero sentía que si me desmoronaba me golpearía con más fuerza. Desconocía si el Conde desistiría cuando mi secreción llenara a su esposa o si eso le provocaría más ira. Lo único que podía hacer era lo que me sugirió, y esperaba que de alguna manera lo tomara como un acto de obediencia y que mi sumisión lo contuviera.

Los azotes me marcaban una y otra vez mientras luchaba por convencer a mi atiborrado pene de que terminara la tarea que había iniciado. Por fin, con la ayuda de Magda, que tomó mis testículos y los apretó con fuerza, me vine.

Líquido blanco fluyó de mi ser al suyo en ondas punzantes. Caí exhausto encima de ella, mi cuerpo se estremecía de pies a cabeza y tenía las nalgas particularmente lastimadas. Sentía que era el dolor en persona. No pude moverme, aunque hubiera querido. Estaba a la total merced de ambos.

El Conde se agachó y tomó el aro que estaba en la punta del pene de cuero y lo jaló para que me pusiera de pie, provocando una gran perforación en mi interior. Consideré que la expresión de su mirada, para bien o para mal, era de aprobación. Al menos había hecho algo bien, aunque casi me mata el esfuerzo.

—Tu látigo y tú lo hicieron hombre —el Conde se dirigió a Magda.

—No, mi señor, fue tu magistral guía la que más lo ayudó.

La sonrisa del Conde me asustó.

—El tiempo dirá si la experiencia dio fruto o si requiere mayor instrucción.

Acarició mi flagelado trasero y me jaló hacia él. Me quejé de dolor. Sentí que sus manos se deslizaban por mi humedad. Antes de desmayarme, vi que sus dientes, filosos como una daga, se dirigían a mi garganta. Y atrás de él estaba Magda, con caninos similares y la vista fija hacia abajo, clavada en la vena de mi pene aún erecto.

CAPÍTULO DOCE

No sé cuánto tiempo estuve acostado en la cama. Días, seguro. Dormitaba, despertaba y volvía a dormir, delirante.

En algún momento recuerdo la cara del Conde sobre la mía, su adusto semblante era emocionante y aterrador. Una noche escuché un chirrido en la ventana y arrastré mi destrozado cuerpo hacia ella. Un gran murciélago de ojos rojos aleteaba contra el vidrio. Cerré las hojas de la ventana, pero después me arrepentí y las abrí para ver. Debió ser una alucinación; vi bajar a gatas al Conde por la pared del castillo, como si fuera un roedor, pero eso era imposible. En otra ocasión, un ruido del otro lado de la ventana volvió a llevarme a ella. Me asomé hacia el suelo, que estaba a gran distancia. A la luz de la luna, cargaban una rústica carreta con grandes cajas negras. Entre sueños tuve otra visión. Las tres esposas del Conde, Magda más cerca de mi cama, cuyos largos colmillos brillaban con la luz de las velas, observaban mi cuerpo como si fuera carne para comer.

—¿Podemos probarlo? —suplicó la delgada.

—No ha sanado lo suficiente —le dijo Magda, aplicando refrescante savia en mis heridas—. En una o dos noches, cuando se le quite la fiebre. No queremos acabarlo muy rápido.

—¿Cuándo volverá el Amo? —preguntó la mujer regordeta.

Magda me vio a los ojos, los suyos eran color carmesí.

—Cuando arregle su negocio en Inglaterra. Cuando resuelva su asunto con la señora Harker.

—¡No! —grité—. Debe dejar en paz a Mina. ¡No se lo permitiré!

Las tres brujas se rieron de mí, y no dudo que la imagen haya sido patética. Lastimado, ensangrentado y con fiebre, al punto que quedé incapacitado. Pero la idea de que mi amada Mina cayera en manos del sádico Conde, ayudó a sanar mis heridas más que los bálsamos herbales. Estas tres querían que mejorara para infligirme más torturas. Y aunque eso no me desagradaba, la preocupación por Mina, esa frágil flor, era un incentivo mayor para recuperar las fuerzas.

Era de día cuando la fiebre cesó. Estaba muy débil. Aun así, sabía que debía aprovechar la luz, pues podía moverme mientras el sol brillara y ellas no. Uní las sábanas, los cobertores y otros pedazos de tela, y un extremo lo amarré a la sólida pata de la cama. La ventana era angosta, pero logré introducirme a través de ella, semidesnudo, sólo mi pantalón permanecía en la habitación.

Cuando vi hacia abajo, me di cuenta que era más fácil caer y morir, que llegar sano y salvo al suelo. El muro era alto y empinado, las piedras que lo conformaban eran irregulares. Y yo estaba demasiado débil.

Descendí poco a poco, deslizando los pies, y la debilidad de mis brazos hacía que me resbalara de la improvisada cuerda. Tenía las manos escoriadas, pero debía continuar.

Cuando llegué al final de mi hechiza cuerda, todavía estaba lejos del suelo. No quedaba más que dejarme caer. Golpeé el piso con un ruido seco, caí de lado y no sabía cuántos ni qué huesos me había roto en el impacto.

El esfuerzo casi acaba conmigo y me vi obligado a descansar hasta que el miedo y la rabia me revitalizaron. Llegué a gatas al puente levadizo y desenredé las cadenas para bajarlo. Del otro lado estaba el sucio camino que se llama Paso Borgo y que me había traído a este lugar, lo que parecía una eternidad. El Paso es angosto, un lado estaba cobijado por las montañas, y el otro llevaba directo al olvido. Lo caminé tambaleándome, aferrado a la ladera de la montaña.

El aire era helado, pero el sol me calentó. Las caídas de agua que recorrían la montaña me refrescaban. Pero cuando el sol se hundió en el cielo, la temperatura descendió y sabía que la oscuridad no tardaría en desplomarse. Y vaya que la oscuridad aparece temprano y se va tarde en esta parte del mundo.

Pero parecía que la suerte estaba de mi lado. Una carreta manejada por un gitano retumbaba a mis espaldas. Le hice la parada al conductor, un hombre de tez morena que a pesar de que me consideró sospechoso se detuvo. Me subí a lo que literalmente era una caja con ruedas. Los recientes sucesos me habían dejado muy débil y mis ojos se cerraron al ritmo que los caballos galopaban. Me quedé dormido con la imagen de las varas del Conde marcando mi piel.

CAPÍTULO TRECE

Cuando desperté estaba oscuro. No sabía dónde estaba, pero sí que iba a bordo de algún navío en medio de un cuerpo de agua turbia.

El gitano no estaba a la vista. Junto a mí encontré una botella de vino amargo, como el que beben los griegos, y una rebanada de pan negro. Me los devoré.

Eché una ojeada a la cubierta. Un hombre, obviamente el capitán del barco, estaba al timón. Un moreno miembro de la tripulación estaba sentado en la popa fumando pipa. Con la luz de la luna descubrí que estaba viéndome. De repente, escuché un sonido cerca de mí. Volteé. Dos hombres amarraban a otro en una picota. Un cuarto señor, de hombros y pecho corpulento y desnudo, portaba un largo látigo de nueve cuerdas de cuero que dejó caer en la espalda del que estaba atado. Los azotes hacían gritar al marinero.

La imagen me llenó de terror y excitación, pero estaba exhausto y muy débil y lo único que atiné a hacer fue acostarme sobre la cubierta y arrullarme con los gritos y el sonido del látigo sobre la piel.

La siguiente vez que desperté había vuelto a tierra, y no sabía si el barco había sido sueño o realidad. Ahora iba en otra carreta, no tan rústica como la del gitano. Este carro traía una capucha que lo protegía del sol, que caía a plomo. Me sentía más tibio de lo que había estado en mucho tiempo y el sudor me cubría. Conforme avanzábamos, a través de la abertura apenas distinguía un paisaje con colinas, verde y no agreste ni montañoso. Era un campo de labrado. Las continuas líneas de viñedos me demostraron que era un país vitivinicultor. Supuse que estaba en algún país del Mediterráneo, pero no sabía cómo había llegado ahí, aunque le agradecía a la divina providencia que me mandara a casa para que rescatara a Mina de las garras del Conde Drácula.

Viajamos todo el día —me dieron vino y comida— y justo antes de la puesta del sol, el carro se detuvo. Me bajé y descubrí que el conductor no estaba a la vista.

Ante mí se elevaba un muro de piedra en el que se había incrustado una puerta gótica. Me acerqué y toqué. Al poco rato, se abrió y respondió un hombre vestido con una túnica larga y una capucha que le tapaba el rostro.

—Yo... este... bueno... —balbuceé—, no sé dónde estoy. Quiero llegar a Inglaterra.

El hombre no dijo nada, sólo se hizo a un lado para dejarme pasar. Entré y atrás de mí cerró con llave la pesada puerta. Caminamos por un jardín, pero la luz era muy tenue y no vi mucho, aunque por el olor deduje que cosechaban verduras y legumbres. Apareció otra puerta de arco, llevaba a una gran estructura de cal y también la cruzamos. Otro corredor guiaba a otra puerta, como si nos dirigiéramos a algún sagrario interior; conforme pasábamos las puertas góticas, éstas se cerraban con llave.

Confieso que estaba nervioso. Parecía que era una orden religiosa, pero no sabría decir de qué clase. En los corredores imperaba un olor frío y húmedo, y sentí que el suelo empezaba a descender, como si estuviéramos en las entrañas de la tierra. Seguí al hombre que iba delante de mí en silencio, pues era demasiado callado, no respondía ni a mis breves preguntas, aunque quizá no hablábamos el mismo idioma. Nuestros pies andaban el suelo de piedra y su túnica crujía conforme avanzaba. No podía verle la cara, pues la capucha la cubría, pero había algo en todo esto que me pareció de mal agüero.

Después de atravesar siete puertas, entramos a una gran sala circular, en la que desembocaban muchas puertas. El hombre señaló una banca que había a la mitad del salón. Me senté y vi cómo desaparecía por una de esas salidas.

No había muebles, sólo un armario y un largo altar, muy sencillo. Las paredes eran de estuco y en ellas colgaban barras con ganchos; éstos tenían pegados arneses de cuero y relucientes cadenas que, por las pesas que pendían de ellas, funcionaban como un sistema de poleas, aunque no atiné a su uso. Todo esto lo vi a la luz de cien grandes velas de cera de abeja esparcidas en la sala sobre apliques de hierro forjado fijados en las paredes.

Esperé lo que consideré una cantidad exorbitante de tiempo, sin saber si se habían olvidado de mí y considerando la idea de ir tras el hombre que me dejó ahí. Me puse de pie, decidido a hacerlo, cuando de repente se abrió la puerta contraria a aquélla por la que había salido.

Entró otro hombre de túnica y encapuchado, pero éste era enorme, alto y ancho. Caminó con determinación y se detuvo frente a mí. La mayor parte de las velas quedaron atrás de él, pero en su rostro pude distinguir facciones serias y una barbilla bien delineada. La luz de las velas se reflejaba en sus ojos oscuros y por un momento me recordó al Conde. Sentí que me encogí ante su presencia y experimenté la urgencia de arrodillarme.

—Me llamo Jonathan Harker. Soy agente de bienes raíces de Londres —hablé en voz alta, tratando de disfrazar mi nerviosismo. Le di la mano, que se quedó colgada en el aire—. Voy de regreso a casa, en Inglaterra, pero no sé cómo llegué aquí.

No aceptó la oportunidad de responder y me vi obligado a continuar.

—Mi esposa, Mina, está esperándome en Inglaterra. Si pudiera escribirle para avisarle dónde estoy, de inmediato me mandaría dinero para mi viaje de regreso.

Por supuesto, que eso me hizo sonar como un bobo en el vacío de ese cavernoso espacio. Este grande ser seguía sin pronunciar palabra y añadí:

—Perdón, pero si pudiera decirme dónde estoy...

Por fin habló, con voz profunda y rica, con un ligero acento pero impecable en su uso del idioma. El tono me pareció familiar y una vez más me recordó al conde Drácula.

—Llegaste a las puertas del Monasterio de la Oración por la Piedad, hogar de una orden espiritual, de la que ya sin duda te diste cuenta. Damos alimento, ropa y techo a los viajeros que pasan por aquí. Nuestro código prohíbe que se reciban compensaciones por los servicios, pero se requieren otras formas de pago. Puedes quedarte el tiempo que necesites. No obstante, hay reglas que debes cumplir al pie de la letra si quieres quedarte.

—¿Reglas? ¿Cuáles son?

—Todo el que llega aquí debe ser aliviado de las cargas que trae consigo.

—Escapé a un cautiverio impuesto en contra de mi voluntad y no traigo cargas.

—Hablo de una purificación diferente, como pronto comprobarás. Acompáñame.

No tenía otra opción. Supongo que pude exigirle que me llevara de regreso por las puertas cerradas con llave hasta la calle, ¿y qué hubiera hecho? ¿Dormir en los viñedos? ¿Comer la ácida fruta? ¿Despertar en la mañana congelado por el rocío y exponerme a que me diera más fiebre? No era tonto, así que lo seguí.

Entramos a un pequeño salón donde había una tosca banca de madera, no más. Cuando salió, dos más de esos "hermanos", como les llamé, entraron con cubetas de agua.

Sin dudarlo, me quitaron los harapos que traía por ropa y procedieron a lavar la suciedad del viaje con un aromático jabón de glicerina. Las atenciones eran tranquilizantes y refrescantes. Uno talló la parte delantera de mi cuerpo y el otro la trasera. Llegaron debajo de mi cintura al mismo tiempo. El hermano que estaba atrás frotó su trapo en la abertura que separa mis glúteos, limpiando en particular ese pobre ano que el Conde había maltratado con tanta violencia. El otro me limpió el pene y los testículos, enjabonándolos y enjuagándolos muchas veces, exprimiendo agua de su trapo para que cayera como cascada sobre mis genitales. Entre los dos me excitaron, y me dio mucha vergüenza que se dieran cuenta.

Cuando quedé limpio, me entregaron una túnica como la de ellos. Deslicé la pesada ropa de lana por mi cabeza y anudé el cinturón de cuerda en mi cintura. Había empezado a levantar la capucha para ponerla en su lugar, cuando uno de los hermanos me tomó la mano y me detuvo. Me puse las sandalias de cuero para protegerme del frío suelo de mármol y, suponiendo que la purificación estaba completa, los acompañé a la sala principal.

Ésta ya no estaba vacía, sino llena de gente. La atmósfera se impregnó con el aroma del sudor y del incienso de sándalo. Hombres enfundados en túnicas y encapuchados permanecían parados, rígidos y en silencio, contra los muros, observando. Una fila de doce hombres, también con túnicas, estaba frente al altar, con las manos atadas a la espalda. Me colocaron al final de la hilera. De inmediato, uno de los que me bañó, amarró mis manos con un áspero cordón.

—Oye, pero... —empecé.

—¡Silencio! —Fue el eco de la voz del gigante. El terror me invadió y cerré la boca. Igual que a los demás, me voltearon para que viera el altar de frente.

Uno por uno, un par de manos tocaba los hombros de los hombres que estaban a mi izquierda y tenían que hincarse; yo fui el último. Un segundo par de manos nos empujó hacia delante y caímos como piezas de dominó, con la cara pegada al frío suelo de piedra y los traseros suspendidos en el aire. Nos colocaron cadenas en la cintura, que engancharon una junto a la del otro, las apretaron y las fijaron a los bolardos que había en cada extremo de la hilera. Otra vez las manos recorrieron la fila, levantaron las túnicas de cada uno y colocaron la tela bajo el cinturón, de manera que las piernas y los glúteos de todos quedaron al descubierto.

Esta acción me pareció una atrocidad, aunque me produjo una extraña excitación quedar con el trasero destapado ante los ojos de cien desconocidos que sabía estaban inspeccionándome.

Cuando volteé a la izquierda, descubrí el rostro del hombre que estaba junto a mí. Sus marrones ojos se encontraron con los míos. Presentaban una peculiar mezcla de horror y euforia, que reflejaban con gran exactitud la mía.

—Ustedes, que van a ser expiados, ¡presten atención! —dijo el gigante—. A través de la agonía de la carne, quedará liberado todo lo que no debe morar en ustedes. Renacerán gracias al poder de la mano que guía a la mía. Es un pequeño sacrificio en un plano mayor.

Se colocó entre la hilera de penitentes y el altar. En la mano sostenía lo que parecía ser una vara barnizada, con la que acarició el rostro de cada hombre de la fila. Cuando llegó a mí, me di cuenta que la vara era en realidad un mango al que se le habían atado nueve tiras de cuero con pequeñas tachuelas incrustadas en el tejido. No sé si fue mi imaginación, pero se entretuvo conmigo, pasando las tiras varias veces por mi cara. El hombre que estaba junto a mí ardía de envidia.

—Qué piel tan blanca —por fin dijo el gigante, refiriéndose a la mía porque era el único de tez blanca allí presente—. Poco acostumbrada a los rigores de la carne—. Me sonrojé y di gracias de que sólo el hombre que estaba junto a mí se diera cuenta.

El hombre grande, que obviamente era el líder de esta orden, volvió a caminar atrás de nosotros y se dirigió al extremo contrario de la fila.

—Cuando sea su turno, cada uno de ustedes repetirá la súplica "Estoy muy necesitado", hasta que dicha necesidad sea saciada. Pero pobre del hombre que se deshonre con mentiras, pues el castigo se le incrementará a la décima potencia.

Escuché un agudo golpe, un gemido, y una voz temblorosa que decía: "Estoy muy necesitado". Otro golpe, una voz diferente, la misma declaración. Los gritos y las palabras que rebotaban en el alto techo aumentaban de volumen conforme el hombre con el látigo avanzaba por la hilera. El aire se volvió denso y creció el acre olor a sudor.

Cuando el látigo de nueve tiras azotó al hombre que estaba junto a mí, los ojos se le fueron a la cabeza y una sonrisa beatífica se dibujó en sus facciones. Repitió la súplica con ansiedad.

De repente, el látigo me habló. Nueve tiras aterrizaron con fuerza en mi trasero. La delgada punta de cada tira me penetró la piel. Di un grito fuerte y espontáneo. Si las cadenas no me hubieran inmovilizado, habría caído de lado por el ardor producido por el golpe múltiple. El impacto me atontó. Segundos después, el látigo volvió a azotarme, mandando otras nueve ardientes tiras a mis glúteos, las tachuelas de metal añadían dolor. Me sentí confundido. Ningún otro recibió dos tandas. ¿Qué hice? Para cuando entendí qué había pasado, el látigo volvió a golpearme. A través del dolor de la carne viva, grité: "¡Estoy muy necesitado!".

El líder emitió un sonido de aprobación. Volvió al principio de la fila y el ritual comenzó otra vez, cada hombre a su turno recibía el látigo y repetía la declaración. El salón se calentó y la tensión se palpaba.

Para la ronda cinco, mis glúteos pedían alivio a gritos. No me reconocía. El dolor era insoportable y allí estaba yo, para mi sorpresa, soportándolo. Resistí la quinta y la sexta. En la décima, oí que algunos cayeron como moscas.

En poco tiempo, el número se elevó a quince y sólo quedábamos el hombre que estaba a mi izquierda y yo. Claro que con dos, los azotes llegaban con más rapidez. Tenía la piel tan lacerada, que hasta la corriente de aire me producía dolor. Sobrevivir a este hombre se convirtió en un asunto de honor. Recibió la dieciséis, multiplicada por nueve por supuesto, y yo también. Las lágrimas que hacía rato habían salido de mis ojos, ahora brotaban como fuente, pero me negué a desistir.

Los dos aceptamos la diecisiete y pedimos más. El cuerpo de él temblaba sin control, igual que el mío. Sentí que prefería morir que recibir el siguiente azote, pero no me perdonaría que ese hombre me venciera.

La expectativa llenaba la sala. El sudor bañaba mi cara y mis costados bajo la áspera lana. Sentía la cabeza hueca de soportar tanto dolor. Escuché mi grito: "¡Estoy muy necesitado!", y el latigazo dieciocho me cayó encima.

La cara del hombre que estaba a mi lado era color betabel, imaginé que tenía las nalgas igual de enrojecidas. Tomó el diecinueve. Los ojos se le fueron a la cabeza, pero en esta ocasión no salieron palabras de su boca. Se desmayó.

Volvía a recibir el látigo. La parte inferior de mi cuerpo ardía a fuego vivo. Las heridas provocadas en las sesiones con Magda y por la ira del Conde se abrieron y el látigo entraba a profundidad. Sabía que era una locura seguir, pero tenía que vencer a este hombre o sentiría que no era nada.

—"¡Estoy muy necesitado!" —grité.

El látigo de nueve tiras me besó por última vez. Oí que el eco de mi grito resonó en las paredes, junto con las aclamaciones de la multitud. Nuestros gritos llenaron la enorme sala con lo que debía ser el último sonido que existía en el universo. De todas maneras, no recuerdo haber oído más.

CAPÍTULO CATORCE

No sé cómo llegué a la cama. Tenía los labios y la boca secos. Sentía frío con todo y el cobertor ligero, incluso sobre la gruesa túnica. Estaba acostado en un angosto catre, boca abajo, en completa oscuridad, temblando de terror y gritando en agonía. Mi trasero estaba muy lastimado y no sanaría con rapidez, de eso estaba seguro.

El dolor me obligó a cuestionar mis motivos y a mí mismo. Tenía que estar loco para actuar como lo había hecho. El premio por ganar no fue otro más que quedar incapacitado. E incluso en la oscuridad de esta abominable celda, en mi rostro se dibujó una sonrisa. Era agradable haber sobrevivido al hombre que estaba junto a mí. Pero sobre todo demostré que mi piel inglesa no era tan delicada —hubiera dado lo que fuera por ver la cara del Líder—. Veinte azotes con un látigo de nueve tiras. Veinte por nueve. ¡Ciento ochenta azotes! ¿Algún hombre en la historia ha soportado tanto? No lo creo.

Cuando sentí brotar este orgullo, mi pene se levantó como si se elevara una bandera para proclamar mi triunfo. El dolor que sufrí valió la pena.

Un sonido me distrajo del jolgorio. La puerta de mi celda se abrió. La luz hizo que entrecerrara los ojos. A través de la vista borrosa percibí que una inmensa figura llenaba la puerta.

Me volví para ver mejor, incrementando mi malestar físico.

El Líder, y sabía que era él, entró y cerró la puerta con llave, dejándome otra vez en la oscuridad. Me recorrió un escalofrío de temerosa expectación.

Se dirigió directo a la cabecera del bajo catre. Sin luz no lo veía, pero olía sus ricos aromas —el sudor de su esfuerzo, un fuerte olor a almizcle, a hombre. Oí un chirrido —jaló algo hacia la cabecera de la cama— y un crujido, como si se hubiera levantado la túnica. Con una de sus fuertes manos, me agarró del cabello y me enderezó, hasta que mi cara ya no descansó en el catre.

La misma mano firme tomó mi quijada con fuerza y la apretó de los lados; en respuesta, mi boca se abrió.

Sin avisar, su pene la llenó. El largo y duro pedazo de carne entró a fuerza hasta mi garganta. Por poco vomito, pero me controlé por orgullo y curiosidad por saber qué pasaría a continuación.

Su delicioso aroma y el sabor agridulce de su firme miembro en mi interior, destacaron mis sentidos al máximo. Chupé y besé su enorme pene con naturalidad, como si lo hubiera hecho toda la vida. Dejé que me usara como instrumento de placer. Mi boca lo ansiaba, lo chupaba fuerte y rápido, lo llevaba hasta mi ardiente garganta de la misma manera que a mí me hubiera gustado que me tomaran. Su poderosa virilidad me penetró y se lo permití, en espera de recibir lo que tenía que ofrecer.

Su pene se volvió agresivo. La piel se calentó y el miembro se hinchó. Un poderoso volcán hizo erupción en mi boca. Con gula me tragué su líquida secreción, dejando que me quemara en su paso por mi garganta, hasta que me sentí lleno con su masculina potencia.

Lo besé hasta dejar limpio ese erecto pene aun después de su gran descarga. Todo mi ser se sació y estaba completo. Su mano no dejó un solo espacio y su pene me dio gran placer. No me quedaba más que honrar a este hombre y sentirme honrado porque me eligió para ser receptáculo de su poder masculino.

Esa noche dormí y soñé con un fuego que quema, pero no consume. Desperté revitalizado. Cada movimiento me abrasaba con la preciosa agonía que el Líder me había infligido, las rodillas se me doblaban de sólo recordarlo dentro de mí. Ser dominado por completo, con la voluntad a sus pies...

Mi principal objetivo era sanar; la segunda prioridad era recibir la absolución bajo su guía.

CAPÍTULO QUINCE

Durante las siguientes semanas, mis heridas sanaron con ayuda de los hermanos. Di paseos por el jardín, bebí su muy seco vino, comí sus fuertes quesos y pesado pan negro, que cocinaban en hornos de piedra. Como había poco que hacer, cuando pude sentarme le escribí una carta a Mina.

Mina. Me sentía ajeno a ella. Era como si estuviéramos en diferentes continentes y no habláramos el mismo idioma. El recuerdo de su conducta seca y apagada me provocaba mayor agonía que los azotes en mi trasero. No sabía qué decirle, salvo que necesitaba dinero para el resto del viaje. Pero, a decir verdad, creía que mi viaje ya había llegado a su fin. ¿Cómo regresaría a una vida carente de pasión? La conducta prudente y actitudes moralistas de mi frágil consorte me aburrían hasta las lágrimas. Aun así debía volver. ¿No dio a entender Magda que el Conde visitaría a Mina? Me estremecí al sólo pensar lo que le pasaría a esa muchacha bajo su poder; aunque la idea de que Mina probara un poco de lo que yo experimenté en el castillo a manos del infame del Conde, hizo que mi pene se pusiera erecto.

Cuando mi fuerza aumentó, una noche tomé mi lugar en la pared circular de la sala principal para observar al Líder azotar a seis penitentes más.

Ver cómo los traseros desnudos temblaban al ser azotados, casi revive la exquisita agonía de ser lacerado. El Líder mismo me llenó de tanto sobrecogimiento, miedo y ansias, que apenas podía respirar. Dos veces, cuando levantó el látigo y la manga de la túnica se hizo para atrás, vi un brazo tenso de músculos bien definidos llevado al máximo esfuerzo. Mi pene se elevó y mis testículos se apretaron con el recuerdo de otro de sus músculos apretándose contra mi boca.

Más tarde, en la oscuridad, su cuerpo lleno de sudor me encontró, su vara separó mis labios para viajar al fondo de mi seca garganta, exigiendo que lo recibiera completo. Y eso hice. Grité de placer cuando su tibio fluido cayó en y dentro de mí. Me sentí limpio.

CAPÍTULO DIECISÉIS

Había estado tres semanas en el claustro. Mis heridas sanaron y en el día trabajaba limpiando pisos, atendiendo el jardín y aceitando los cueros que se usaban para muchas cosas. En la noche entraba a un reino de éxtasis en el que el Líder hacía pagar a los suplicantes por la purificación, primero en la gran sala y después en privado, conmigo y solo conmigo.

Había entrado a un estado de ensueño, mi vida adquirió una calidad irreal. A veces olvido por completo que tengo compromisos en Inglaterra, una esposa, una vocación.

Entonces, una tarde llegó un paquete por correo especial. Era de Mina. Contenía dinero, que necesitaría para mi regreso, y una carta. En ella me decía que estaba de visita con su malcriada amiga Lucy. Planeaba regresar a nuestra casa, pero algunas cosas lo habían impedido. Parecía que Lucy había sufrido un misterioso cambio de personalidad cuando conoció a un caballero que acababa de llegar al país, un tal conde Drácula.

El corazón se me hundió. Lucy había caído bajo el hechizo del Conde. Y Mina estaba en peligro. Debía irme. Tenía obligaciones. Busqué al Líder, cuya cara aún no conocía, y se lo expliqué.

—Debes fortalecerte en contra del cruel mundo —dijo sabiamente—. Esta noche participarás en una ceremonia para conservar la pureza que has adquirido de rodillas ante mí.

Después de la puesta del sol, cuando los muros exteriores se enfriaron y los hermanos fueron llevados al *sanctasanctórum*, encendimos nuestras velas y nos reunimos alrededor del altar. Había cincuenta hombres presentes, incluyendo al Líder, que sobresalía del resto por dos cabezas.

Un monje se sentó a horcajadas en el altar y golpeó un gong dorado. El sordo sonido reverberó en las paredes vacías, cada golpe chocaba con el siguiente y sentí que iba desarrollándose una secuencia. En silencio, todos nos quitamos la túnica, excepto el Líder. Como por instinto, formamos una línea ante él por estatura, del más bajo al más alto.

El Líder abrió el gabinete que estaba debajo del altar. Conforme pasaban los hombres, les entregaba un látigo de nueve tiras a cada uno. Como si se hubiera asignado un orden, los hombres formamos un círculo, alrededor del Líder y del altar. El gong seguía sonando, fuerte, firme y resonante.

El Líder empezó a cantar. "Uno fluye en todos y todos somos uno". Cuando decía la frase, el gong callaba. Uno de los hombres del círculo levantó el látigo y lo azotó en el trasero desnudo del que tenía adelante, y así sucesivamente. En poco tiempo, levantábamos y dejábamos caer el azote al ritmo que el gong guiaba nuestros reflejos.

Sentí que el látigo me golpeó tan sólo un segundo después de que golpeé al hombre que tenía delante de mí. No pasaron más de cinco segundos. Luché para alinear mi ritmo con el del que estaba atrás de mí. Al siguiente gong, estábamos perfectamente sincronizados, el cuero golpeaba y era golpeado al mismo tiempo sobre la piel.

Avanzamos despacio mientras el Líder cantaba, los látigos se agitaban y producían un sonido sobrenatural. Mi espalda ardía, el primer ardor que recibía desde el castillo Drácula. El hombre que estaba atrás de mí no se contenía y yo azotaba al que estaba frente a mí con la misma libertad, con la intención de no privarlo ni de romper el círculo.

Así continuamos una hora. Mi piel ardía pero mi cuerpo alcanzó un ritmo involuntario y me sentí conectado con todos los hermanos. Mi mente quedó en blanco y mis pensamientos suspendidos. El movimiento era espontáneo. El gong sonaba, los brazos se levantaban como uno, el cuero se estrellaba en un sonido. "Uno fluye en todos y todos somos uno", cantaba el Líder.

Los hombres gemían. Mi pene estaba duro como una roca, y una borrosa mirada me indicó que todos los hombres del círculo tenían erección. Nos movíamos lento, en agonía. Me sentí atrapado entre el dolor y el placer que invadían mi cuerpo.

De repente, el gong se calló y el Líder guardó silencio. El grupo de monjes se detuvo como una unidad. Estábamos parados en un círculo de cuerpos ardientes, el aroma del sudor nos llenaba las fosas nasales. El Líder gritó: "Uno fluye en todos y todos somos uno".

El círculo se cerró. Todos los hombres caímos sobre la espalda del que teníamos enfrente, que a su vez se inclinaba hacia delante. La punta de mi pene tocó el ano de quien estaba delante de mí, al tiempo que la cabeza de un pene entró en mi abertura.

Nos movimos como uno. Penetré y me penetraron. Mi pene se estrellaba en el agujero que tenía enfrente y una gruesa vara de piel partía mi recto. Entramos y salimos como si fuéramos dos hombres y no cincuenta. El gong empezó a sonar otra vez, ahora con mayor rapidez, el paso aumentaba. Nunca había sentido tanta alegría, tanto éxtasis, tanto intolerable dolor combinado con placer; tanta conexión.

El hombre de atrás me penetraba con la misma fuerza y profundidad que yo penetraba. El golpe del gong se volvió más rápido. Me abracé mientras mi cuerpo se movía a voluntad propia. Más rápido. Más fuerte. Más profundo. El sentido de conexión era exquisitamente doloroso.

El paso volvió a acelerarse. Nunca me había movido tan rápido. Los hombres que estaban a mi alrededor gritaron al eyacular, aunque la penetración continuaba.

El hombre que estaba atrás de mí liberó su secreción en mi interior, una tibia corriente que me hizo apretarlo aún más. Mi pene se estremecía y punzaba, a punto de explotar. Sentí cómo tembló el hombre que estaba delante de mí cuando eyaculó. Pero todos los penes del círculo seguían erectos, trabajando. De repente, las chispas estallaron en mis testículos. Una carga de energía salió disparada por mi pene. Me sentí como una bala disparada a gran velocidad hacia el hombre de adelante, el de atrás seguía penetrando mi ano.

Mi cabeza se volvió ligera y la habitación dio vueltas. Me quitaron un peso de encima, como si hubiera muerto y ascendido. No había experimentado la liberación desde que penetré a Magda, pero ésta vez fue muy diferente.

Al poco tiempo, el círculo cayó al suelo, el frío mármol era un alivio para mis calientes hombros. El ambiente iluminó la sala. Los hombres rodaban juntos, luchando, riendo, besándose, retozando con los penes, formando parejas y grupitos, jugando con los látigos, echándose en la piel la cera caliente de las velas.

Ante mí apareció el Líder. Levanté la vista hacia él, su rostro aún en las sombras. Me arrastré hacia el interior de su túnica. La oscuridad que allí reinaba me pareció agradable. Me recubría su aroma, la textura de su velluda piel, su caliente y rígida carne. Metí su ansiosa virilidad a mi boca. La familiar y penetrante dulzura de su miembro y las cremosas secreciones que de él emanaban, sabían muy bien.

Cuando lo besé, lo chupé y lo endurecí totalmente, me apretó contra el suelo boca abajo. Me separó las piernas y dobló mis rodillas, empujó mis piernas hasta que los muslos quedaron en las caderas y las rodillas en la cintura. Me sentía como una rana en la mesa de disección. Mi pene seguía duro y cuando dejó caer en mi espalda su peso, éste apretó mis caderas de manera que mi pene quedó oprimido contra la fría piedra. Me penetró con su enorme virilidad, estirándome y atravesándome a mayor profundidad que el otro hombre. Solté un grito. Las lágrimas salían de mis ojos. Pensé que no soportaría tan doloroso placer. Entraba y salía de mí, manteniéndome oprimido contra el piso; mi miembro quedó atrapado entre la suave roca y mi cuerpo. Los músculos de mi trasero se tensaron por la presión de la posición en la que me atrapó. Sentía que él me controlaba por completo y no podía hacer nada para evitarlo, y tampoco quería. No me negaría a sus insistentes penetraciones. Me entregué todo, ofreciendo mi cuerpo como recipiente de este Líder que me había llevado a conocer lugares que ni siquiera sabía que existían. Ansiaba abrir más mi ser para que entrara a mayor profundidad. Anhelaba que él me partiera en dos para que pudiera convertirme en un hombre nuevo.

Mi pobre pene liberó sus secreciones al mismo tiempo que disparó su ardiente líquido en mí. Nos fusionamos.

Permanecimos acostados el mayor tiempo, él con su miembro bien encajado en mí. Los demás salieron de la sala y nos quedamos solos.

—Quédate como estás —dijo este hombre cuyo rostro aún no veía. Se retiró de mí, dejándome vacío y frío. Pero algo de él permanecía; su semilla empezó a escurrir por mi ano y contraje el músculo esfínter para retenerla lo más posible.

Se ausentó poco tiempo y cuando regresó, se paró atrás de mí. No podía mover las piernas y sabía que los músculos se acalambrarían severamente cuando los moviera, así que me quedé quieto, esperando.

Sus manos encontraron mis testículos y los levantaron. Jaló la piel que hay entre ellos y el pene. De repente, allí se me clavó un terrible dolor, tan fuerte como la herida de una daga. Grité. Intenté cerrar las piernas, pero la fuerte mano del Líder estaba sobre mi trasero y lo apretó, evitando que me moviera. Unos segundos después el dolor disminuyó, pero seguía siendo fuerte. Algo frío, como metal, entró en la delgada y delicada piel.

—Ahora eres parte de la hermandad. No nos avergüences.

Oí que el Líder caminó. Una puerta se abrió y se cerró. Me quedé solo.

Me tardé casi una hora en mover las piernas. El área entre mi pene y mis testículos ardía en llamas. Con suavidad, me toqué y encontré que en la piel que cuelga deslizó un pequeño aro del que pendía una delgada pieza de metal forjada en forma de pene.

Poco a poco me arrastré en el suelo hasta que al fin pude apoyarme en las rodillas. Los calambres en las piernas me inmovilizaron y fue todo lo que pude hacer para llegar a mi catre.

Yacía en una laguna de agonía. El fuego abrasaba mi pene. Los músculos se acalambraron. La espalda estaba lacerada. Todo esto se combinó con el dolor de saber que en la mañana me iría de este lugar y me alejaría del Líder —su sabor se quedó en mi boca y sus secreciones aún recorrían mis piernas.

No me costó trabajo imaginar que allí terminaba mi vida y que en Inglaterra sólo me esperaba la muerte en vida.

PARTE 4:

DR. STEWARD

Capítulo diecisiete

—Caballeros, pasen por favor.

El Dr. John Steward se hizo a un lado para que Arthur Holmwood y Quincey Morris entraran a su oficina. Le señaló las sillas de cuero y él se sentó del otro lado del escritorio de nogal. Analizó a sus amigos.

Arthur siempre le había parecido un hombre guapo, de mediana estatura, rostro aristocrático, y adinerado. Había practicado boxeo en la preparatoria y aún estaba en excelentes condiciones —hombros y pecho musculosos, caderas en buen estado—. John conoció al tosco pero buen mozo de Quincey en un bar de Londres unos meses atrás. Él presentó a los señores entre sí y con los placeres de la alcoba de la señorita Lucy Westenra. Los tres, con tantas cosas en común, se habían hecho amigos.

John cerró la puerta de la oficina y los gritos de los pacientes del manicomio disminuyeron, pero el sonido no desapareció. Sus invitados, no acostumbrados a las torturas autoinfligidas de los locos, se sentían incómodos.

John levantó del escritorio la licorera de cristal cortado que contenía brandy y levantó las cejas. Arthur movió la cabeza, pero Quincey, con su directo estilo estadounidense dijo:

—Caray, por qué no —y de reojo levantó dos dedos.

Después de que John sirvió la bebida de Quincey, se recargó en la silla; los ricos aromas del cuero y el brandy mezclados con los olores masculinos impregnaron la habitación. La imagen de sus robustos amigos le agradó y le dio valor.

—Creo que saben por qué les pedí que vinieran.

—Lucy —respondió Arthur.

Quincey, que vació el líquido de un trago, plantó la copa en el escritorio y se limpió la boca con el dorso de la mano.

—Está actuando raro, de eso no hay duda.

—Raro —añadió John—, te quedas corto. ¿Alguno de ustedes la vio la semana pasada?

Los dos hombres movieron la cabeza.

—Bueno, pues yo tampoco, y estoy preocupado. Sinceramente, la Lucy que conozco y amo desapareció y la sustituyó una personalidad sin vida.

—Quizá —sugirió Arthur— su amiga, la señora Harker, es responsable de este cambio.

—No —Quincey dijo con firmeza—. Entre Mina y Lucy hay una gran diferencia.

—¿Mina? Hablas de ella con familiaridad. ¿Han estado juntos los tres?

—Poco, pero suficiente para saber que ella no provocaría el tipo de cambio que estamos viendo en la señorita Lucy. Caray, ni siquiera me recibió esta semana, y el novedoso arnés que pedí a Texas acaba de llegar. Ella lo esperaba con ansiedad.

—Tuve una experiencia similar —añadió John—. Cuando la visité para mi sesión de mitad de semana, simplemente me evadió. La relación de Lucy con el conde Drácula me inquieta tanto como las anomalías en su vida.

—¿Quién diablos es él? —Quincey quería saber.

—Un adinerado miembro de la realeza de Rumania, o un lugar de esos —respondió Arthur con obvio desagrado—. Lucy me habló un poco de él ayer, cuando la visité. No tenía tiempo para atenderme en privado, pero accedió a hablar conmigo en lo que se iba. Parece que el Conde adquirió propiedades en todo Whitby. Dice que es su vecino.

—Una noche la acompañó al teatro —dijo John.

—Y a los fuegos artificiales en las vacaciones.

Quincey se rascó la nuca.

—¿Conocen al Conde? ¿Cómo es?

—No lo conozco —respondió Arthur.

—Yo tampoco —participó John—. Pero sé esto, Lucy lo ve de noche, por eso no tiene tiempo para nosotros. Ése es el motivo de esta reunión.

John abrió una caja de nogal que contenía rapé y la ofreció. Quincey, que nunca había tomado rapé, dijo:

—Sólo se vive una vez.

Siguió el ejemplo de John y se colocó el rapé en la punta de los dedos y después lo inhaló profundamente. Una expresión de alegría apareció en su rostro y asintió con ansiedad. Fue obvio que el tabaco le gustó. Al momento, sacó un gran pañuelo blanco y se limpió la nariz.

John cerró la caja y dijo:

—Estoy convencido de que la señora Harker extendió su visita porque creo que Lucy necesita alguien que la vigile. Mi opinión como médico es que la señorita Westenra padece alguna enfermedad, aunque su naturaleza rebasa mis conocimientos. Por lo tanto, llamé a un especialista.

—¿Y quién es? —Preguntó Arthur.

—El profesor Abraham Van Helsing. Fue mi maestro en la Universidad donde estudié en Ámsterdam. El doctor es científico y posee un intrínseco conocimiento sobre la naturaleza humana. Es especialista en metafísica. Si hay alguien que puede descubrir qué aniquiló el espíritu de nuestra Lucy, es el Dr. Van Helsing.

—Fue una sabia decisión.

—Si va a revivir a esa vaquilla, tiene mi voto —Quincey dijo, sirviéndose más rapé.

—¿Entonces cuento con la confianza de ambos?

Los dos hombres asintieron.

—Qué bueno. El profesor llega mañana en la mañana. Tendré que traer aquí a Lucy para que la vea de inmediato, en contra de su voluntad, si es necesario —John se puso de pie de un brinco—. Debemos recuperar a la Lucy que conocimos.

—¡Muy bien! ¡Perfecto! —Arthur se levantó y estiró una mano.

—Era un poco irascible —añadió Quincey, estrechando la mano—, no me gustaría perderla.

John se unió a ellos. Sentía que formaban un triunvirato que no se detendría en su misión de rescatar a su amante Lucy.

Capítulo dieciocho

Esa noche, John Steward decidió visitar de improviso la residencia Westenra. Verna, la de rostro adusto, atendió la puerta. Encontró a Mina Harker en el salón, sola, leyendo un libro sensacionalista escrito por un novelista irlandés de cierta reputación. Lo saludó con calidez, o al menos con la efusividad que su agrio espíritu le permitía.

—Dr. Steward, qué agradable volver a verlo. ¿Apetece un té?

—Gracias, pero no.

—Supongo que viene a visitar a Lucy.

—Así es, si está en casa.

—Por el momento. Aunque va a salir, y creo que dentro de poco, con el Conde.

Se sentaron en sillones opuestos. Mina era una mujer peculiar. John se imaginó que sería atractiva, si lo deseara. Su cabello era color nogal y lo traía tan recogido, que incluso le daba cierta suavidad a su rostro. Con la mandíbula y la frente apretadas y expresión de preocupación, siempre lucía desesperanzada. La sosa ropa que usaba era floja y no permitía la menor sugerencia en cuanto a la forma de su cuerpo. Pero veía algo en sus apagados ojos, como el brillo de un pedazo de diamante muy incrustado en la roca, en espera de la liberación.

—Dígame, señora Harker...

—Por favor, llámeme Mina.

—Mina. ¿Últimamente ha notado cambios en Lucy además de los que hablamos la semana pasada?

Inclinó la cabeza hacia un lado y cruzó los brazos bajo sus senos, tomándose los codos. Los brazos actuaban como repisa, estiraron la tela gris de la blusa y le levantaron el busto, así que éste se agrandó.

—Sólo puedo decirle que ahora veo a Lucy menos que antes. Duerme todo el día y sin pudor anda en la calle con el tal conde Drácula toda la noche. Parece que la lleva en su carro a la ópera, a los jardines botánicos, al campo y Dios sabe a dónde más. Dos veces me despertó el carruaje, que regresaba justo antes del amanecer. Me asomé por la ventana de mi habitación y vi que un hombre alto, vestido de negro como sepulturero, ayudaba a Lucy a llegar a la puerta. Una vez salí al corredor cuando ella llegó al final de la escalera. Se veía débil, de hecho apenas podía sostenerse en pie. Me dio la impresión de que estaba adolorida, aunque su rostro rebosaba de salud y vitalidad. "Mina", suspiró cuando me vio, "viví la experiencia más exquisita. El Conde es como ninguno. No le llegan ni a los talones". Me apretó la mano con seriedad y dijo: "Tienes que conocerlo. ¡Debes hacerlo! ¡No serás la misma...!"

John interrumpió.

—¿Ya acordaron el momento?

—Creo que lo conoceré esta misma noche, cuando llegue por ella, lo que sucederá en poco tiempo. Ah, la puerta. Debe ser él.

—¡Qué bien! —John se puso de pie con determinación, provocando que Mina también se levantara—. Lo conoceremos juntos.

Le ofreció el brazo para acompañarla al recibidor. Era una mujer pequeña, más delgada que Lucy y no tan voluptuosa, o al menos él no tenía esa impresión por lo que podía ver.

Cuando lo tomó del brazo, con el codo le tocó un seno. Se dio cuenta de que ella se ruborizó.

Verna abrió la puerta. Del otro lado estaba uno de los hombres más poderosos que John había visto, comparado sólo con el mismo Abraham Van Helsing.

El hombre que entró al vestíbulo portaba una figura imponente. Tenía fuerza física —una estampa maravillosa, un rostro clásicamente bello con finos rasgos cincelados, pálido como el mármol, y penetrantes ojos negros. Pero su fuerza sobrepasaba a la física y a John le dio la impresión de que tenía una voluntad de hierro que nada destruye.

—Soy Drácula —dijo con voz profunda, rica, y haciendo una ligera reverencia.

Cuando John recobró la voz, le ofreció una mano.

—Doctor John Steward, médico personal de la señorita Westenra. A sus órdenes, señor... —Le ignoró la mano.

El Conde lo vio como si revisara la fragilidad de un objeto que iba a comprar. La penetrante mirada paralizó a John. Ojos hambrientos le arrancaron la ropa y le realizaron tan profundo análisis, que el pene de John se volvió firme, como si lo hubieran acariciado. El hombre supo con claridad el efecto que produjo.

Volvió la atención a Mina y una ligera sonrisa levantó las comisuras de sus crueles labios. Escaneó su cuerpo, como si fuera a decidir cuál era la mejor manera de arreglar este sillón: resortes nuevos, relleno y definitivamente una tela más elegante. Ella lo observó con cierta hostilidad, que al Conde le pareció divertida.

—Señora Harker —dijo—, he oído mucho de usted y siento que conozco su espíritu, aunque ahora la veo en persona.

—Yo también he oído de usted.

Le dio la mano a Mina, quien con renuencia ofreció la suya. Se la acercó a la boca, a la manera europea. El beso duró más de lo aceptable socialmente, avergonzándola sobremanera porque no podía hacer nada más que esperar a que terminara.

—Estaba impaciente por conocerla. El señor Harker fue huésped en mi casa. Se portó más que amable con mi esposa, que se moría de ganas por tener compañía, y estoy ansioso por devolverle el favor.

Una vez que su mano estuvo libre, Mina la escondió en su espalda. Le dirigió al Conde una nueva mirada llena de veneno. John quedó sorprendido con su tenacidad, pues él mismo sintió el eminente peligro que este hombre transmitía y, que por el momento al menos, mantenía el paso.

—Conde Drácula —Mina se dirigió a él—, hace tiempo que no sé nada de mi errante esposo. Quizá usted podría decirme cuál es su paradero.

La sonrisa del Conde creció. Le brillaron los ojos y por un momento apareció una marca roja, como los ojos de los animales a la luz. Nunca se alejaron de los de Mina, lo que pareció preocuparla.

—Una mujer como usted no debería tolerar un hombre errante cuando hay tantos que harían lo que les pidiera. Le aseguro que lo dejé en las hábiles manos de mi esposa Magda, pues yo tenía asuntos que atender en Whitby. Tal vez siga disfrutando de su hospitalidad.

Mina no quería seguir escuchando. Los ojos le brillaban de furia y apretó los labios, que se le pusieron tan pálidos como el rostro del Conde. Su contenida ira provocó que los testículos de John se tensaran e hizo que se imaginara tanto enojo desahogado en su piel.

El Conde movió la cabeza con brusquedad; atravesó a John con una mirada que le contuvo la fantasía antes de que creciera. El doctor no estaba seguro si el Conde tenía planes para él o para Mina. No obstante, estaba convencido de que este dominante hombre había planeado algo y, en secreto, John esperaba formar parte de ello.

En ese momento, Lucy bajó de las escaleras, portaba botas negras altas, una chaqueta color rojo rosado a la altura de la cintura y pantalones de hombre, con una solapa en la parte de atrás, como si fuera un calzoncillo largo, que podía desabotonarse. La ropa era totalmente inapropiada para la noche —y para cualquier hora, a decir verdad.

Mina se veía tan impresionada como John se sentía, y se tomó del pasamanos para apoyarse. El Conde lucía complacido.

—John, querido. Y Mina. Veo que ya conocieron al conde Drácula. ¿No es maravilloso? Ah —dijo, al recordar la pequeña caja que traía cargada—, esto es para ti.

Se ruborizó al entregarle el paquete muy bien envuelto al Conde, que partió el moño en dos. Dentro del pañuelo había un par de guantes de cuero negro muy bien hechos, pero de un tipo especial. No eran de suave piel de cerdo, sino dura, John pensó que quizá eran de cuero de vaca, que se usaba para hacer botas pesadas. Y lo más curioso es que en las palmas tenía incrustadas tachuelas de metal.

Cuando el Conde se puso los ajustados guantes, lenta y sensualmente, John sintió que su pene chocaba en el pantalón. Al ver a Lucy, se dio cuenta que estaba húmeda entre las piernas. Hasta la hostil Mina observaba con ansias los guantes.

El conde Drácula fijó la mirada en cada uno de ellos, y John vio reflejado en los rostros de las mujeres lo que sentía, el deseo de estar a merced de las manos que portaban esos guantes rígidos e incrustados con tachuelas, para que lo levantaran, lo tocaran y lo penetraran.

—Es tarde —el Conde le dijo a Lucy—, y para mí las horas son pocas. Tengo planeada la velada y mi intención es darle un buen uso a tu regalo. Vámonos.

Lucy bajó flotando de las escaleras, como si estuviera en un sueño, y John los vio salir por la puerta, subir al carro y alejarse.

En cuanto llegaron al final de la entrada, John dijo:

—Voy a seguirlos. Debo averiguar qué planea hacer el conde Drácula con nuestra Lucy.

—Lo acompaño —dijo Mina, y la verdad él le agradecía la compañía.

Ensillaron a la yegua y al potro zainos, y cabalgaron guiados por la pálida luna azul blanquecina. El carruaje iba por el camino que tenían adelante y conservaron la distancia suficiente para que no los vieran.

Al poco tiempo, el vehículo pisó el suelo de Carfax.

—¿Qué es este lugar? —preguntó Mina.

—Son edificios medievales, con una capilla vacía y abandonada desde hace mucho tiempo. Según Arthur, es una de las propiedades que el Conde compró, quizá a su esposo.

Vieron que el carro se detenía y el Conde ayudaba a Lucy a bajar. Una vez que estuvieron seguros de que la pareja había entrado al edificio, desmontaron y dejaron los caballos a medio camino, amarrados a un plátano falso. El resto lo anduvieron a pie.

El edificio principal era una estructura sombría, construida con grueso ladrillo sin color, con doscientos años de antigüedad, y rodeada de densos y oscuros árboles. La mayor parte del cemento del exterior se había caído y muchos de los ladrillos estaban flojos o faltaban completos. Arriba, la torre se había desplomado. El edificio estaba delineado con ventanas góticas de arco en la parte más alta de una pared, los fragmentos originales del cristal emplomado de colores estaban intactos. John y Mina se agacharon para husmear a través de los ladrillos que faltaban al nivel del suelo, hasta que se tropezaron con la habitación donde el Conde tenía cautiva a Lucy.

John apoyó un dedo sobre los labios para indicar que debían guardar silencio y señaló el interior. Mina asintió. Lado a lado, el ojo izquierdo de él y el derecho de ella en el agujero, observaron la escena a la luz de las velas que se desarrollaba frente a ellos.

El Conde se sentó en una enorme silla de respaldo alto, y la obediente Lucy se arrodilló frente a él en el suelo sucio, con la cara agachada. De su bolsillo sacó una máscara de cuero negro, la colocó en la cabeza de la muchacha, cubriéndole hasta el cuello, y la amarró con fuerza por atrás. No tenía huecos para los ojos ni para la boca, pero John creyó ver dos hoyitos en la nariz para que respirara. La máscara lo excitó —nunca había visto algo así y se preguntaba qué se sentiría que te bloquearan la vista, los oídos y la boca, y respiraras sólo por la nariz.

Lucy se puso de pie y el Conde la volteó para le diera la espalda. Ella traía puestos guantes para montar, él le amarró las muñecas con una cuerda, después se levantó y le quitó la chaqueta para que sus senos y media espalda quedaran al descubierto. Los guantes le bloqueaban el sentido del tacto, aunque a ella podían tocarla. John se dio cuenta de que respiraba rápido y percibió que Mina, que estaba junto a él, también. Inesperadamente, recargó su cuerpo en el doctor, que volvió a sentir el suave seno, aunque esta vez con la atracción extra de un pezón firme.

El Conde desabotonó la solapa que había en la parte trasera de los estrafalarios pantalones de Lucy y la bajó, dejando expuesta una parte de sus deliciosas y redondas asentaderas. La colocó en posición y rápidamente la echó sobre su regazo. Desde donde estaba John, veía que el dulce pedazo de trasero de Lucy sobresalía en una abertura rectangular. Y no era lo que se veía, sino la manera tan prominente en la que aparecía.

Sin retraso, el Conde levantó su enorme mano enguantada y la dejó caer con fuerza en los desnudos glúteos de Lucy. John sintió como si el golpe hubiera caído en él. Sus testículos se tensaron.

El sonido del cuero de vaca contra la piel resonó en el corredor vacío y John tuvo la sensación de que no se trató de un golpecito cariñoso, sino de una de las nalgadas más largas que había escuchado. El trasero de Lucy se elevó alto en el aire, única indicación de que le gustó. Era extraño y ligeramente excitante que no emitiera sonido alguno. Incluso con la tenue luz de las velas que alumbraba el interior, John pudo ver que los glúteos se le enrojecieron como si hubiera recibido media docena de golpes y no uno, y en la zona donde aterrizaron las tachuelas, había marcas más brillantes.

Junto a él, Mina contuvo el aliento. Su cuerpo temblaba, y el erecto pezón que se frotaba en su brazo era una distracción.

La golpiza seguía adelante, ahora con ansiedad. El Conde lo hacía rápido y con violencia, su larga mano azotaba ambos glúteos al mismo tiempo.

Lucy saltaba y al cuerpo de John le daban espasmos. Mina temblaba sin control. Se llevó las manos a las orejas para ahogar el sonido seco. Su pezón acariciaba frenético el brazo del doctor.

John nunca había presenciado una paliza tal. Si fuera él al que castigaran así, ya hubiera gritado, igual que Lucy si tuviera la oportunidad. ¿Qué se sentiría? Se preguntaba, evitando con desesperación que el pene rompiera su pantalón. Lucy sólo podía respirar y oler sudor, cuero nuevo y tierra. No oía el golpe, no veía nada, quizá sólo prever a través del menor movimiento del firme cuerpo del Conde cuándo la mano volvía a elevarse para azotar el pedazo de carne. Ese seductor, carnoso, cuadrado, incompleto y destacado pedazo de piel, recibió un trato especial por parte del Conde con esa buena paliza.

Las nalgadas continuaron durante dos horas, parecía que la mano no se cansaba y que el trasero no se entumecía, o al menos eso dedujo John por la altura que aún alcanzaba al saltar. ¿Cómo lo soportaba Lucy? El médico no lo sabía y también se preguntaba si él lo haría.

Al final, John y Mina estaban agotados, como si ellos hubieran recibido los golpes y no sólo los hubieran presenciado.

Lucy estaba en el piso y el Conde de frente a su inflamado trasero en llamas. Su atiborrado pene, liberado del pantalón, se introdujo en el ardiente cuadro donde debía estar el ano de Lucy. La penetró, todo él. Ella, de rodillas, con los hombros y los senos oprimidos contra el suelo, hizo para atrás su enmascarado rostro en el impuesto silencio.

La penetraba con fuerza, sosteniéndole las caderas para que no se moviera, y Lucy acercaba y apretaba sus ardientes asentaderas contra él.

La mano de John encontró los botones de la blusa de Mina y abrió los suficientes para localizar su firme pezón y apretarlo con fuerza, al ritmo de las penetraciones. Mina arqueó la espalda, ahogando un gemido, aunque el médico tenía la impresión de que la señora no sentía que estaba tocándola.

Conforme el Conde montaba a Lucy, John jalaba el pezón, ahora un bulto duro, desafiante, que respondía. La mano de Mina se dirigió a la palpitante entrepierna de él, aunque tenía la mirada pegada a la escena que se desarrollaba frente a ella, y John presentía que no sabía lo que estaba haciendo. Sin darse cuenta, Mina frotó la tela del pantalón, provocando que la inflamada carne del médico aumentara de tamaño. El pene le dolía cuando lo acariciaba. Una poderosa fuerza se congregó en sus testículos, preparándolos para liberar su carga.

En segundos, el Conde penetró con fuerza. Echó la cabeza hacia atrás y aulló como un animal, el enorme rugido viajó en el aire de la noche. En ese momento, John imaginó al Conde liberando esas secreciones de la misma manera en él; se imaginaba llenando a Mina o a Lucy con su propio líquido caliente. Y esas imágenes lo hicieron eyacular.

Mina, impresionada por el espasmo que hubo en el interior de la ropa, retiró la mano. Los dedos de John aún acariciaban su desnudo pezón, que era rojo brillante a la luz de la luna. La expresión en su rostro era de confusión y deseo mezclados con vergüenza.

Le quitó la mano de un golpe, se puso de pie, se arregló la blusa y corrió hacia los caballos. John sabía que debía ir tras ella y ofrecerle una explicación. Tenía que asegurarse de que llegara a salvo a casa. Pero no se sentía preparado para abandonar la diversión.

Volvió al hueco y dio un brinco. La cara del Conde apareció en el espacio vacío, su mirada era salvaje a la luz de la luna, sus severos labios y enormes dientes estaban manchados de sangre.

—¿Encontró lo que buscaba, Dr. Steward? Sepa que esto es sólo el principio. La señorita Westenra será golpeada y torturada hasta el amanecer y beberé su sangre a lo largo de la noche, todo esto ocurre de la misma manera cada noche. Supongo que está celoso, ¿pero de quién?

John se sintió ofendido.

—¡Demonio! No sólo me arrebataste a Lucy, sino que ahora también me insultas con esa manera que tienes y que no se sabe si es un cumplido o una grosería.

—Aún no conoce esa manera, Dr. Steward, pero ya lo hará. Y cuando lo llame, vendrá. Inmediatamente. De rodillas. Dándome cualquier parte del cuerpo que yo desee como ofrenda, la cual disfrutaré al máximo.

La amenaza emocionó a John, pero también lo llenó de terror. Quedar en manos de este monstruo, ser controlado por completo de una manera que nunca había vivido, incluso con su Amo, Van Helsing...

—¡Váyase! —le ordenó el Conde— Asegúrese de que la señora Harker llegué a salvo a su cama, pues es allí donde la visitaré pronto.

—¿Y yo qué? —Al momento en que las palabras escaparon de sus labios, John se dio cuenta que había rebasado sus límites.

La diabólicamente bella cara se volvió rígida.

—No se preocupe, Dr. Steward. Ya llegará su tiempo y será bien tratado. Ahora, ¡obedézcame!

John se puso de pie como si lo hubiera jalado una docena de manos fuertes. Obedeció, se dio la vuelta y corrió para alcanzar a Mina, quien ya había emprendido el camino a galope, pero la alcanzó rápido.

Ella no estaba de humor para hablar y a él no le importó. Quería estar solo con sus pensamientos y fantasías de someterse a la voluntad indomable de este señor todopoderoso.

Capítulo diecinueve

Cuando el profesor Van Helsing llegó al manicomio, John Steward estaba con el paciente Renfield. El momento en el que el loco vio al Profesor, se echó de rodillas ante él, emanando emociones.

—Sálvenos, señor, de los poderes de la oscuridad —De repente, Renfield levantó la cabeza y se rio como tonto. Ahora se oía muy lúcido—. Pero claro, no puede, pues está del mismo lado del Diablo —Entonces, el paciente se rio socarronamente.

John llamó a los médicos.

—Regrésenlo a su fría celda —dio la orden, y sacaron al histérico hombre de la oficina.

Abraham Van Helsing llenaba la habitación. No era una persona alta, pero tenía presencia. Barba, cabello y ojos grises, cuerpo sólido y robusto como una fina pieza de madera. Aunque usaba un bastón de metal, no era firme sino flexible y John sabía que no lo usaba para caminar.

—Un caso peculiar —le dijo a Van Helsing, cerrando la puerta—. Renfield tiene alucinaciones y afirma que necesita consumir con frecuencia sangre fresca, que adquiere al comerse la vida de gran variedad de criaturas.

—No es nada peculiar —dijo el Profesor en un tono cortado que siempre hería a John en lo más profundo—. Es un tipo común de locura que conocerías si hubieras aprendido bien tus lecciones en mis manos. Parece que no fue así. ¿Se te olvidó quién es el Amo aquí?

John, sintiéndose castigado, se recargó en una rodilla ante su antiguo Amo.

—Perdón, señor, por mi insolencia.

—Insolencia y condescendencia —Van Helsing le pegó fuerte en ambos hombros con el bastón de metal una docena de veces, evitando tocar el hueso para lastimar el músculo. Incluso a través del abrigo y la camisa, la caña lastimó a John lo suficiente para provocarle lágrimas. Cuando el Profesor terminó, se sentó en una silla y extendió una sucia bota, que el doctor empezó a lamer, un hábito adquirido durante cuatro años en la Universidad en Ámsterdam, donde estudió medicina con el Profesor.

Cuando terminó con una bota, apareció la otra. El lodo era grueso y de sabor agridulce, mezclado con otros rancios residuos que se acumulaban en las calles. John se sintió humillado, degradado, aniquilado de su posición como director del manicomio. De repente, volvió a ser un muchacho, arrodillado ante el estricto profesor que nada pasaba por alto, que exigía obediencia absoluta y que lo ponía a prueba, física y mental, más allá de donde creía que era capaz de llegar. Un cálido sentimiento le invadió el cuerpo y sus genitales se estremecieron. Lamer las botas se convirtió en un acto placentero y volvió a concentrarse en la agradable tarea con renovado vigor.

—¡Basta! —dijo Van Helsing con brusquedad—. No tengo todo el día —le dio tres golpecitos a John en los hombros, señal de que se pusiera de pie.

El rostro de su primer Amo se veía hermoso dentro de su severidad; las líneas grabadas en la frente, los ojos intensamente inteligentes. Habían pasado diez años desde que John se había arrodillado ante este poderoso y enigmático ser humano, famoso en el mundo por su rigurosa mente científica que sólo dejaba espacio a lo empírico. Un hombre que había superado las necesidades de la carne y aun así era capaz de guiar, a través de una estricta disciplina a aquellos que tenían la suerte de ser sus estudiantes, al estado mental sumiso adecuado requerido para aprender.

—Siéntate —Van Helsing ordenó, señalando la silla que tenía enfrente y no la que estaba atrás del escritorio—. Vayamos directo al problema. Tu amante, Lucy Westenra, ya no demuestra interés en disciplinarte. Dame todos los detalles de su caso y te advierto que no omitas nada, o volverás a sentir el instrumento de mi edificación del espíritu.

John narró todo lo ocurrido, incluyendo la noche que él y Mina observaron cómo el conde Drácula castigó y montó a su amante. Pero no mencionó una cosa

—lo que le provocaba el poderoso Conde. Se convenció a sí mismo de que no era necesario, pero en el fondo estaba consciente de que escondía algo aunque no sabía por qué.

—¡Desvístete y toma la posición! —le ordenó el Profesor, que ya se ponía de pie, quitándose el abrigo y el cinturón y arremangándose la camisa. Los músculos de los fuertes brazos se tensaron, lo que le recordó su pasada relación con el Profesor. John se quedó impresionado. Al pensar en el castigo que estaba por recibir, no sabía qué era más fuerte, la excitación o el terror.

—Señor, voy a cerrar la puerta —balbuceó—. Soy el director del manicomio. Si alguno de mis empleados entrara por allí...

—Verá que el director del manicomio es azotado como un joven inocente por decir mentiras.

John se hincó angustiado.

—Amo, le aseguro que le dije todo. ¿Por qué no me imparte los castigos que cree que merezco en privado, en mi casa?

—Porque no. Por insubordinado recibirás el doble. Ahora desvístete o arranco la ropa de tu maltrecho cuerpo y te azotó hasta que sangres.

John se desnudó y se acostó en el largo escritorio francés. La fría madera le recordó los escritorios de la Academia, donde con frecuencia se acostaba en la misma posición para recibir lecciones privadas.

El Profesor no perdió el tiempo, como era su estilo. El delgado y flexible metal golpeó la espalda de John, los hombros y el trasero con gran presteza. Para ser un caballero de edad, Van Helsing demostró sorprendente vigor y fuerza, su vista y tino seguían siendo mortalmente exactos.

Los golpes, que producían ardor, recorrieron todo el cuerpo de John, desde los hombros hasta las plantas de los pies. De manera involuntaria, brincaba con cada azote del bastón, que dejaba su marca roja a poco de partir la piel. Desde sus días de universitario, no había sentido que estuviera bajo absoluto control ni había recibido una paliza como ésta. La vara no se detenía, seguía cayendo, incluso cada vez más fuerte. Pero ya no estaba acostumbrado. Aunque Lucy era agresiva con sus atenciones, su fuerza no era la del hombre que había impuesto dichas lecciones durante casi cuarenta años. Y además, estaba el temor de que alguien abriera la puerta. Se metió un puño en la boca para no gritar, pues el dolor se volvió casi insoportable. Las lágrimas brotaron de sus ojos.

Su cuerpo se calentó. Se tensaba con el silbido del bastón, que producía escozor. Debajo de él, su pene cobró vida, aunque sabía que el Profesor no permitiría la eyaculación.

Cuando Van Helsing terminó, John estaba tan adolorido que no podía moverse. La espalda, el trasero, las pantorrillas, le ardían como si una nube de insectos lo hubiera atacado. Se apoyó en las sensibles plantas de los pies. La parte anterior de su cuerpo le demostró al profesor que la vara había jugado un papel decisivo. Tenía el vibrante pene enrojecido. Le dolían los testículos. Pero recibió la orden de vestirse, sentarse en la silla y retomar la conversación donde se quedó.

John tembló, humilde ante este hombre que tan bien lo entrenó en el pasado y que lo conocía a la perfección. Se sentía humillado y avergonzado por su engaño. Se secó los ojos, se limpió la nariz y con voz temblorosa contó con detalle la atracción que sentía por el Conde, sin poder ver a Van Helsing a los ojos.

Cuando terminó, se sentó punzando de dolor, esperando. Por fin, Van Helsing dijo:

—Veo que se trata de un monstruo, eso es claro; no es un mortal, sino un vampiro, el más seductor de todos. Es como un animal y no discrimina, como lo haría un hombre inteligente. Es obvio que la señorita Westenra está bajo su hechizo, igual que tú, aunque en menor grado. Tienes que traerla de inmediato para que empecemos con el tratamiento. Si quieres salvarla de esa criatura, hay que actuar de manera ordenada y sistemática. También trae a los demás, pueden ser útiles.

Capítulo veinte

John, con la ayuda de Mina, levantó a Lucy de la cama y la llevó al manicomio ante grandes protestas. El sol estaba poniéndose y gritó que debía estar libre para visitar al conde Drácula.

—¡Tengo que hacerlo! ¡Déjenme ir con él!

El mensaje había sido enviado a Arthur y a Quincey, quienes se unieron a los tres en el sótano del manicomio, en espera de Van Helsing.

—¡Cómo se atreven! —Lucy le gritó al hombre y a Mina—. No voy a tolerarlo. ¡Los azotaré hasta destrozarles la piel!

La chispa de su anterior ser le produjo alegría a John Steward, quien se dio cuenta que a los demás les provocó el mismo efecto. Todos ansiaban recuperar a la antigua Lucy y recibir sus atenciones.

—Es más —continuó—, voy a dejar que el mismo conde Drácula se encargue de ustedes, entonces conocerán el verdadero significado del dolor.

—Yo creo que no, señorita Westenra —era la voz de Van Helsing, quien hizo que las miradas se dirigieran a la puerta. Entró a la habitación con determinación cargando un maletín grande hecho con tejido de alfombra, que colocó en una mesita. Se volvió y clavó los ojos en Lucy, su expresión era peculiar, o al menos a John no le pareció familiar.

—¿Y usted quién es, señor? —preguntó Lucy.

—Su salvador, pero puede llamarme Amo.

—¡Cómo no! —Lucy dijo, poniéndose las manos en la cadera en señal de desafío, como una lavandera, aunque la diversión brilló en sus ojos—. Señor, le sugiero que no se esfuerce porque ya tengo Amo. Además, no me conoce, no sabe de lo que soy capaz.

—Sé de lo que era capaz, pero ya no.

—Estoy ansiosa por saber cuál es su asunto —dijo Lucy, echándose un poco para atrás.

—En un momento la verdad le será revelada, así como usted me será revelada. ¡Desvístanla!

Lucy se impresionó, pero se recuperó pronto.

—¡Nadie va a tocarme!

El Profesor vio primero a John, quien hizo una seña con la cabeza a Arthur, Quincey y Mina.

—El Profesor tiene razón. Si queremos salvarla tenemos que hacer lo que dice.

Los cuatro le cayeron encima y le quitaron el vestido del cuerpo, que no dejaba de agitarse. Pateó y gritó, pero en poco tiempo la dejaron desnuda, su redondo trasero temblaba de furia y sus senos se sacudían indignados. Largos caireles rubios cayeron en sus bellos hombros y los cortos vellos de entre las piernas se rizaron. Labios y mejillas se sonrojaron y este reto sacó chispas de sus ojos color lavanda.

Su cuerpo portaba las marcas del Conde. Tenía el trasero sonrosado, pero sólo una parte, la misma que John y Mina vieron. Tenía otras marcas en la espalda, los senos y los muslos, como si la hubieran azotado. Pero los dos agujeros en el cuello eran las heridas más sobresalientes.

Corrió a la puerta, pero el Profesor la había cerrado con llave. Los demás observaban en silencio cómo luchaba con la perilla. Les gritó y pataleó como una niña malcriada. Mientras, Van Helsing, con calma sacó del maletín los instrumentos con los que trabajaría. De espalda a ella, le dijo:

—Acuéstese en la mesa, señorita Westenra, boca abajo. Está haciéndose daño y a los que la quieren, por eso necesita la atención de un especialista.

A Lucy le temblaba el labio inferior e hizo una mueca, pero algo en el tono de voz del Profesor le llegó y se subió a la larga mesa que había en medio de la habitación.

Van Helsing le entregó a cada uno de los cuatro espectadores un trozo de cáñamo y les dio la instrucción de que amarraran las extremidades de la joven a las patas de la mesa.

Una vez más, Lucy se movió y los insultó, pero lograron atarla bien y quedó separada.

—Un principio importante de la ciencia es el de la inversión. Todo lo que se lleva al extremo se revierte solo, como un péndulo que se mueve de un lado al otro. Sus polos han sido invertidos, señorita Westenra, y mi intención es volver a invertirlos.

John Steward, después de años de clases con el Profesor, se sintió libre de preguntarle:

—Señor, ¿podría explicarnos? No entiendo su diagnóstico ni su tratamiento, y temo que la gente que nos acompaña está en total penumbra.

Van Helsing ahora tenía un pedazo de manguera en las manos, de 2.5 centímetros de diámetro y aproximadamente 80 centímetros de largo. Al acercarse a la mesa, dijo:

—Todos saben que en algún momento el dolor se vuelve placentero. Pero empecemos por lo más sencillo. A toda acción corresponde una reacción. Las cosas son causales y una afecta a la otra. Si dejo caer una palmeta inesperadamente en un trasero, la piel se inflará alrededor del borde de ese instrumento. Es la naturaleza de la ciencia.

—Eso es obvio, señor —respondió John—. ¿Pero cómo se relaciona con los extremos?

—Observa y aprende —le ordenó el Profesor.

Separó más las piernas de Lucy. Le exploró el ano y ella contrajo los músculos de las nalgas.

—¡Ábranla! —dijo.

Mina agarró un glúteo y John el otro; los estiraron tanto, que los músculos de Lucy ya no pudieron cerrar sus aberturas.

—¡Malditos sean, los dos! —Lucy gritó.

El profesor Van Helsing meneó la punta de la manguera hasta que entró perfecta en el ano de Lucy. Después empujó y metió tres cuartos del caucho.

Lucy luchó en vano, estaba bien agarrada.

John nunca había visto que un objeto como éste se usara así. Había oído de un proceso en el que el caucho se calentaba con sulfuro, pero no lo había visto. Observó fascinado mientras Van Helsing colocaba una manguera más pequeña al extremo libre de la más grande y la conectaba a una bomba manual, que sacó de su maletín y puso entre los pies de Lucy.

Después conectó la bomba a un frasco de vidrio más grande, que estaba lleno, al menos tres cuartos, de un líquido blancuzco de olor desagradable. De inmediato, el Profesor empezó a empujar y a jalar el asa de la bomba, y poco a poco se redujo el nivel del líquido de la botella.

De la nada, Lucy dejó escapar un aullido. Los músculos del cuerpo se le contrajeron. El aullido se convirtió en gemido. El Profesor continuó bombeando.

—¡Está matándola! —gritó Arthur.

—¡Voy a ponerle fin a esto! —afirmó Quincey.

El Profesor los detuvo con la mirada.

—Quédense donde están y no interfieran con el tratamiento de la señorita Westenra, o se las verán conmigo.

Arthur y Quincey parecían castigados y emocionados, pero no se movieron para intervenir en el proceso.

El Profesor continuó, a pesar de los desgarradores gritos de Lucy, hasta que la botella quedó vacía. Después quitó la manguera pequeña y rápidamente colocó una goma en el extremo de la grande para cerrarla, asegurándose de que el líquido se quedara en el interior de la muchacha.

A través de los fuertes gritos de Lucy, se escuchó hablar a Van Helsing.

—Ahora, caballeros, señora Harker, acompáñenme. Es hora de cenar.

Durante la comida, que consistió en vino blanco, pollo asado y salsa de arándano fresco, el profesor Van Helsing les explicó lo que había hecho. John escuchó, embelesado.

—La solución que entró por el recto de la señorita Westenra y se expandió a toda su capacidad, está hecha básicamente de ajo diluido. Por supuesto, el ajo es un antiguo antídoto contra los vampiros y como el ano es el punto de entrada preferido del Conde, sin duda se desilusionará. Desde un punto de vista más científico, sus nutrientes fortalecen la sangre y ayudan a evitar enfermedades. Claro, si frotan un ajo en un área sensible, conocerán el efecto y entenderán sus gritos. En este caso, el recto sigue ardiendo y le producirá una de dos posibles reacciones a la señorita Westenra.

Se llevó la tierna carne de pechuga a la boca y masticó contento, dejando que el jugo de la grasa le escurriera por la barbilla. Este hombre generalmente impecable y pulcro en extremo, tenía sorprendido a John. Nunca había observado tan eróticos placeres en Van Helsing. De hecho, hacía mucho que el Profesor desconcertaba a John, pues en su experiencia cuando joven, no probaba la carne de otros ni dejaba que lo probaran. Claro que el sello de los genios es el excentricismo.

—Profesor Van Helsing —Mina se dirigió a él—. Me cuesta trabajo entender su teoría de los extremos.

—Señora Harker, es obvio que su experiencia es limitada.

Mina se sonrojó y John percibió que tenía los pezones firmes. Tal vez fue su imaginación, pero el vestido que traía esta noche parecía más ajustado y más colorido que los que le había visto en ocasiones anteriores.

—Es muy simple, la señorita Westenra hará una de dos cosas. Lo preferible es que reconsidere su reciente atracción por una vida de sumisión. Cuando alguien con su temperamento tiene la opción de recibir o de infligir, por lo general elige lo último, pero no siempre. Lo otro que puede suceder está relacionado. Si el dolor es deseable, entonces el que lo administre con más eficacia se vuelve el amo más codiciado. En caso de que la señorita Westenra no lograra recuperar su antigua personalidad, al menos aprenderá que hay un Amo superior al Conde vampiro, capaz de satisfacer sus anhelos más profundos, es decir yo.

John lo consideró un cambio peculiar. Van Helsing, el viejo cascarrabias en persona, domando a una mujer. Nunca había oído algo así. Según sabía, Van Helsing prefería disciplinar a los varones. Más de una vez había dicho que los hombres eran superiores porque eran más fuertes y por lo tanto capaces de tolerar un trato más agresivo, haciendo más gratificante la experiencia del Amo.

—¿Pero eso qué tiene que ver con lo que dijo hoy? ¿Lo de los extremos? —preguntó Quincey.

Van Helsing bajó el tenedor y se limpió la boca con la servilleta. Dirigió a Quincey una mirada de evaluación y éste palideció, como si hubiera descubierto algo que tenía bien escondido.

—Si juego con los opuestos, señor Morris, entonces puedo transformar al blanco en negro y viceversa. De hecho, podría convertir a un sádico en masoquista, o a una personalidad dominante en una sumisa. En teoría, obligando a alguien a llegar al extremo, una mujer puede convertirse en hombre o —y en este momento regaló a Quincey una penetrante mirada— un hombre en mujer.

La teoría era clara y Quincey no pidió mayor explicación. John pensó en hacerlo, pero el Profesor parecía ansioso por regresar al sótano y ver cómo estaba Lucy.

Cuando llegaron estaba gimiendo. El sonido era mitad dolor, mitad placer.

Van Helsing se puso en cuclillas a un lado de la mesa y la agarró del hermoso y abundante cabello, obligándola a verlo a los ojos. Las torturas le animaron los rasgos. Los ojos le brillaban más y tenía los labios y mejillas rosados. Vio a Van Helsing con un toque de adoración.

—Señorita Westenra —le dijo—, espero que haya reconsiderado el camino.

—Sí, señor —respondió con docilidad. *No hay esperanza de que recuperemos a nuestra amante*, pensó John.

De inmediato, el Profesor se dirigió a su maletín y regresó con una palmeta de apariencia extraña.

—Esto, señor Morris —dijo—, es un ejemplo concreto de la teoría que a usted y a la señora Harker les cuesta tanto trabajo entender—. Caminó hacia un costado de la mesa. —La señorita Westenra ha sufrido demasiado dolor, sin embargo, no el suficiente para producir el efecto deseado, aunque el segundo resultado va por buen camino y está por arraigarse en su mente.

Levantó la palmeta para que todos la vieran con claridad. Tenía un centímetro de grosor y estaba hecha de flexible caucho gris. De manera curiosa, su superficie tenía agujeros por aquí y por allá.

—¿Por qué caucho, señor? —preguntó John.

—Cuando la palmeta hace contacto con la piel —Van Helsing explicó—, esa carne se calienta y el contacto continuo incrementa el calor. Las palmetas de madera provocan calor a la piel, las de cuero producen más, pero las de caucho generan todavía más. El material no se encuentra en su forma natural, pues se recoge de un árbol y las manos del hombre lo transforman en algo diferente a lo que la naturaleza creó. Por lo tanto, hereda propiedades transformadoras.

—Pasa lo mismo con el cuero —Arthur sugirió.

—Es correcto, señor Holmwood, el cuero se trata con salmuera y se quema, mientras la madera se usa en estado natural. Pero el proceso de quemado no es tan extremo como el del caucho, que cambia de líquido a sólido.

—Entonces —intervino John—, el caucho produce más calor más rápido. ¿Pero para qué los agujeros? Seguro reducen el efecto.

Van Helsing le entregó la palmeta. Era la más ligera de todas las que John había sostenido, incluso aquellas hechas de madera delgada. De un lado era suave caucho, y del otro estaba estriado. Pasó la palma de la mano por ambos, preguntándose qué le haría una palmeta como ésta a una piel tan sensible como la de Lucy.

—Siente la ligereza —dijo el Profesor—. Es por los agujeros. Una palmeta más ligera se mueve más rápido.

—¿No tiene menor impacto? —Fue Mina quien preguntó y el Profesor le sonrió con indulgencia, haciendo que John pensara que estaba enloqueciendo. Mina se puso color escarlata.

—Señora Harker, esto es Física, y está más allá de la comprensión de la mayoría de la gente, y por supuesto de una mujer como usted.

A Mina le enfureció el trato. Si el Profesor no hubiera tenido en las manos un artefacto que pudiera estrellarse en ella como en Lucy, lo hubiera contradicho. John se percató de que ella sabía de su precaria situación y, por el momento, decidió actuar con prudencia.

—El impacto se volverá aparente —dijo Van Helsing—. Los agujeros tienen un propósito adicional que también será obvio, si todos son pacientes.

Sacó una pelota de plástico de su maleta de trucos y le ordenó a John que la metiera en la boca de la señorita Westenra.

Lucy se resistió, pero John la obligó a abrir la mandíbula y le introdujo la pelota. La previsión le puso pálido el rostro, pues escuchó todo y estaba a la expectativa.

John se sintió excitado. Después de todas las golpizas que había recibido a manos de Lucy, ahora estaba a punto de observar cómo el Amo de la disciplina le daría una paliza aún mayor.

Van Helsing levantó la palmeta y dejó caer el lado suave con fuerza en el glúteo derecho de Lucy, cuyo torso se elevó en el aire en la medida que las ataduras se lo permitieron, y se sacudió la gruesa manguera de caucho que colgaba de su ano. El glúteo que la palmeta castigó se enrojeció de inmediato, con la ventaja extra de que dibujó brillantes círculos carmesíes donde estaban los agujeros. Éstos le recordaron a John las marcas que dejan los vasos de vidrio calientes que se colocan en la espalda para eliminar resfriados. El Profesor golpeó el otro glúteo con fuerza, produciendo un efecto similar.

Lucy gritó, pero la pelota de plástico contuvo el sonido y John entendió la ventaja. Se le ocurrió la idea de que podría usar el mismo método en sus pacientes más escandalosos.

Estaba emocionado y tenía curiosidad, así que examinó las calientes marcas con los dedos. Los agujeros de la palmeta eran bordes que, ahora entendía, creaban la misma clase de marca que cualquier borde.

Van Helsing levantó y dejó caer la palmeta en los glúteos otra vez. El efecto fue inmediato —piel ardiente con mordaces círculos rojos.

—¿Puedo intentarlo, señor? —Arthur fue quien habló y a John le sorprendió.

El Profesor le entregó la palmeta. Arthur se acomodó, plantando los pies con firmeza para asegurar el equilibrio. Dejó que Lucy sintiera toda su fuerza, dos veces en cada nalga. El fervor en la mirada de Arthur atrajo a John, quien de inmediato tuvo la fantasía de que éste le azotara el trasero a morir. Nunca antes había visto bajo esa luz a su amigo de tantos años y tuvo que admitir que la idea de que el boxeador Arthur lo azotara, era excitante.

—Señor Holmwood —interrumpió Van Helsing—, si va a hacer el trabajo, no puede contenerse porque la señorita Westenra sufrirá más a largo plazo. Si no es lo bastante hombre, sólo dígalo.

Arthur aceptó el reto.

—Lo haré mejor, señor —dijo y Van Helsing asintió.

John observaba con emoción cómo Arthur azotaba a Lucy con la fuerza de un hombre joven y fuerte. Sus glúteos refulgían en dos colores y la manguera se balanceaba en el aire. Entre las separadas piernas, John distinguió que un líquido brillaba en su húmeda abertura y ansió hacerle el amor a esa lubricada vagina.

Arthur empezó a sudar rápido por la fuerza usada. Ahora John veía que conforme la palmeta golpeaba, la piel del trasero de Lucy se asomaba por los agujeros, por eso se formaban los aros rojos; círculos que creaban pequeñas protuberancias que se inflamaban, ampollándose frente a sus ojos.

De repente, Van Helsing agarró la mano de Arthur en el aire.

—Suficiente. Si rompe las ampollas no sólo se arriesga a provocarle una infección, sino a posponer el resto del tratamiento. El estado de la señorita Westenra es grave y necesitará terapia casi continua. Recárguense en la pared, los tres —ordenó, indicándole a Mina que se quedara con él en el otro extremo de la habitación.

Los señores se colocaron en la pared; John estaba muerto de miedo, pues sabía muy bien de lo que el Profesor era capaz.

Pero ante sus impresionados ojos, Van Helsing desamarró a Lucy y le sacó la pelota de la boca.

—Señorita Westenra —dijo—, se ocupará de todos, excepto de mí y de la señora Harker, por supuesto. Empiece con el señor Holmwood, a quien le debe más.

El rostro de Mina palideció y la mirada se le llenó de furia ante este insulto.

Lucy tenía la cara surcada de lágrimas, pero su tono seguía siendo rosado. Los ojos le brillaban por el éxtasis provocado por el fuerte dolor y la excitación.

—Señor, le suplico que primero me deje usar el baño —dijo Lucy.

—No, señorita Westenra, no puede. Haga en silencio lo que se le ordenó o recibirá otra ronda con la palmeta—. Resaltó la orden con un fuerte golpe del caucho en los glúteos que estaban en carne viva.

De inmediato, se bajó de la mesa y a gatas se acercó a Arthur.

Le desabrochó el pantalón y lo deslizó hasta las rodillas. Los músculos de los muslos de Arthur sobresalían de la piel y su vello púbico color marrón se rizaba en la entrepierna. Lucy volteó a verlo con los ojos húmedos y la garganta lastimada por tanto gritar, y le dijo:

—Arthur, mi amor —y metió su miembro a la boca.

Lucy lo excitó besándole y chupándole el pene y los testículos. Arthur luchaba por no perder el control, pero los eventos lo rebasaron y se vino de inmediato dentro de la boca de la joven.

Después siguió con Quincey, a quien también le desabrochó el pantalón. Traía un extraño artefacto, quizá diseñado para montar, que mantenía al rígido pene en su lugar. Se lo quitó y el miembro saltó erecto. La lengua de Lucy besó la base del pene. Quincey arqueó la espalda y le sostuvo la cabeza, guiándosela. John vio cómo se tensaron los testículos del estadounidense. El movimiento de la cabeza de Lucy era más largo que con Arthur. Quincey empujó la cadera hacia delante y gimió fuerte cuando eyaculó en la boca de la muchacha.

Se limpió la secreción de los labios con la lengua y se dirigió a John, cuyo erecto pene estaba atento. Le agarró los testículos con la mano y los apretó, primero con cuidado y después con fuerza. Creció la presión en el escroto. La agresiva lengua de Lucy le besó lentamente el pene y su punta, luego se lo metió a la boca. Mientras, su lastimado trasero, que aún portaba la manguera como cola, se elevaba en el aire, excitándolo —John casi sentía el calor que desprendían esos glúteos.

Lucy apretó sus hambrientos labios y le jaló hacia arriba y hacia abajo el pene, devorándole la parte superior, la base y la inflamada cabeza. A John le temblaban las piernas y ella se movía más rápido. De repente, ya no pudo controlarse. Tibio semen salió de su interior y explotó en la boca de la muchacha. Lucy se lo tragó y lo chupó hasta dejarlo limpio.

John miró a su alrededor. Mina, llena de frustración salió volando por la puerta.

Los rostros de Arthur y Quincey tenían expresiones soñolientas.

Lucy estaba con el Profesor. Van Helsing se inclinó hacia ella, frotando la parte estriada de la palmeta en el adolorido trasero de la muchacha, provocando que su boca emitiera gemidos. John se dio cuenta que de sus inflamados genitales externos escurría humedad y su pene volvió a levantarse.

Por fin, el Profesor le quitó la manguera y le pidió a Lucy que contuviera el líquido hasta que llegara al baño; el dolor fue como si le hubieran dado otra paliza, y se la entregó al encargado.

Cuando se fue, Van Helsing le confió a los señores:

—El plan está funcionando, cuando menos en parte. Creo que estamos viendo a otra mujer. Mañana sabremos con seguridad hacia qué lado se inclinó. De cualquier forma, el conde Drácula ya no es una amenaza. John, las llaves de las celdas.

John le entregó al Profesor un aro con llaves. Cuando Lucy regresó, Van Helsing le pidió que los llevara a la celda del señor Renfield.

Allí, encadenó a Lucy, con brazos y piernas abiertos, a la pared que estaba bajo una rejilla exterior, por donde escurría agua del suelo de la calle y le caía directo en la cabeza y los hombros, y a gotas en los senos. Lucy lloró y suplicó, llamando "Mi Amo" al Profesor, pero no lo convenció.

Renfield estaba sentado en una esquina, en silencio, observando embelesado el espectáculo, mordisqueando insectos perdidos.

Cuando la desnuda Lucy quedó como quería, el Profesor sacó una cajita de su bolsillo y la abrió. Tomó algo y lo colocó en uno de los pezones de Lucy, quien gritó. Sacó otro e hizo lo mismo en el otro pezón. Lucy lloró.

—¡No, Amo! ¡Esto no! Le suplico, mi único Amo, que no me someta a esto. ¡No lo soporto!

John levantó el farol.

—¿Sanguijuelas? —preguntó—. El vampiro ya la sangró. No entiendo el objetivo.

Van Helsing le dirigió una mirada desaprobatoria y el trasero de John se contrajo involuntariamente.

—Te explicaré el objetivo con lujo de detalle en privado, Dr. Steward, más tarde. Por el momento basta con que el conde Drácula sepa qué puedo hacer, de lo que soy capaz, a mi manera.

Se dirigió a Renfield, que estaba en la esquina y a quien le brillaron los ojos.

—Sr. Renfield, sé de su predilección por las criaturas vivas llenas de sangre y sólo le recuerdo que es importante que espere hasta la mañana, cuando los negros amiguitos pegados a sus senos estén llenos de lo que tanto le gusta a usted. Mientras tanto, la señorita Westenra necesita que pegue sus labios a otra parte de su anatomía, ¿me entiende?

Por la expresión del rostro del loco, John supo que Renfield entendió.

Cuando John acompañó a los demás a la salida del cuarto, Renfield ya estaba colocado bajo la alterada Lucy, besando y chupando los fluidos que emanaban de sus inflamados genitales externos.

CAPÍTULO VEINTIUNO

A causa de su insubordinación, John pasó una dolorosa noche a manos del Profesor. Conoció de primera mano el abrasador calor producido por la terrible palmeta de plástico, pues Van Helsing la usó en su trasero sin dudarlo.

En la mañana John estaba reformado, le remordía la conciencia por haber sido altanero, y prometió seguir las órdenes del Profesor al pie de la letra sin hacer preguntas.

Entumecido y adolorido, llegó al manicomio justo después del amanecer y encontró a Renfield comiendo sanguijuelas alegremente. Lucy tenía los pezones inflamados y se veía exhausta, pero bella. La liberó de las ataduras y envuelta en la larga capa que traía puesta la noche anterior, la llevó al carro. Ella se abrazó de su cuello y lo besó, su tibia y sensual lengua se introdujo en la boca de John.

En la mansión Westenra, Verna y Mina se hicieron cargo de ella, de lo contrario John hubiera llevado a Lucy a la cama y la hubiera tomado en el acto. Entonces, regresó a su oficina a un día de trabajo que realizó de pie.

Antes de la puesta del sol, volvieron a llevar a Lucy al sótano del manicomio. Aunque esa noche fue por voluntad propia. Cuando Van Helsing y los demás llegaron, Lucy se echó a los pies del Amo, chupándole las botas y acariciándole los tobillos.

—A la mesa de examen, señorita Westenra, y rápido —dijo el Profesor.

Lucy se subió a la larga mesa, como un cachorro ansioso por obedecer.

Esa noche lucía rebosante, le brillaban los ojos, y su blanco rostro estaba matizado con un sano tono rosado. Tenía el cabello impecable, que le caía por la espalda hasta la cintura, justo antes de los ampollados glúteos. Quizá los verdugones se apagaron gracias a la fría pared donde sabiamente el Profesor la encadenó; aunque la piel seguía irritada y los círculos rojos se veían con claridad.

—Abra las piernas —ordenó el Profesor y Lucy obedeció—. Veo que tomó uno de los dos caminos predichos, por lo tanto se confirman mi diagnóstico y mi pronóstico. Sin embargo, necesita más tratamiento para asegurarnos que no vuelva a adoptar malos hábitos y se aleje del camino del bien.

Otra vez acercó la palmeta de caucho a la mesa. Lucy lo observó, con una mezcla de lujuria y temor incrustada en sus facciones.

John olió el aire, ahora impregnado con las fuertes secreciones de Lucy, y se sintió excitado y a la expectativa. Aun consciente de ello, sus lastimados glúteos ardieron como si la imagen de la palmeta le produjera una reacción instintiva.

El profesor azotó el trasero de Lucy con la palmeta, y de su boca salió un gritito.

—Señorita —dijo con severidad—, cuando vuelva a pegarle, no tense los músculos de las nalgas o empezaré desde el principio. ¿Quedó claro?

—Sí, Amo Van Helsing —Lucy susurró.

—Sí, ¿qué? —rugió, usando la palmeta con más fuerza sobre sus glúteos.

—¡Sí, Amo!

—Muy bien, sólo tiene un Amo, así que no es necesario que diga mi nombre, ¿no es cierto?

Lucy se veía horrorizada.

—Soy su obediente sierva —respondió, aunque aparentemente no fue una buena respuesta.

Una expresión tranquila cubrió el rostro del Profesor, que se dio cuenta de que había permitido que la emoción opacara su juicio. John estaba sorprendido. En los años que tenía de conocerlo, este hombre nunca había demostrado el menor sentimiento. Administraba los castigos limpia y metódicamente, con precisión científica. Y cada caso era sometido a una observación minuciosa a lo largo del proceso. El Profesor odiaba las muestras de emoción, en él y en los demás, en especial cuando estaba trabajando. No toleraba la frivolidad en sus estudiantes ni en sus pacientes. El trasero de John podía demostrar que con los años, el Profesor había corregido de manera sistemática sus muchos malos hábitos laborales. Incluso la noche anterior, cuando John pasó las oscuras horas recargado en el brazo de una silla mientras el Profesor lo azotaba por altanero, no hubo señales de emoción. Era simplemente un amo educando a un estudiante de una manera con efecto duradero. John se preguntaba qué efecto estaba produciendo Lucy en el gran hombre.

—Creo que empezaremos con cincuenta —decía Van Helsing—, y usted contará.

—¿Cincuenta? —La voz de Lucy estaba impactada. No esperaba el mismo tratamiento dos noches seguidas.

—Cincuenta en cada lado —corrigió el Profesor.

Sin pausa, la azotó en cada glúteo y ordenó: —¡Cuenta!

—¡Uno! —gritó Lucy—. ¡Dos! ¡Tres! ¡Cuatro!

—Relaje los músculos, señorita, y empiece a contar otra vez.

La desesperanza se apoderó de la voz de Lucy cuando volvió a contar.

Cada golpe de la palmeta tensaba el cuerpo de John, como si su trasero recordara con claridad el sonido y la sensación.

Lucy llegó a veinte antes de contraerse. El Profesor le ordenó que reiniciara la cuenta.

John estaba fascinado porque las redondas nalgas de Lucy aceptaban la palmeta sin tensarse. Cada regordete glúteo temblaba y se enrojecía, pero los músculos no se contraían. John sabía por experiencia y por la ciencia, que el dolor produce contracciones musculares involuntarias. Dichos espasmos producen el beneficio extra de limitar el dolor, de manera que no va más allá del punto de contacto. Al soltarse, la pobre Lucy sentiría que los golpes secos de la palmeta resonarían en todo su cuerpo. De repente, John lamentó haberse tensado toda la noche. Se preguntaba cómo se sentiría ese dolor corporal total.

Los glúteos de Lucy danzaban al ritmo del Profesor. Las lágrimas salían de sus ojos; tenía los brazos colgados a los lados de la mesa, luchando por evitar la aterradora tensión que le provocaría mayor castigo. Su voz se escuchaba tan destrozada como lucía su trasero. Los verdugones volvieron a aparecer y tenía las nalgas el doble de lastimadas que las de John.

Por fin, contó cincuenta, atragantándose las palabras.

—Es lenta para aprender, señorita Westenra, pero aún tiene esperanzas. Ustedes tres —dijo señalando a los hombres—, desvístanse.

Una vez más, Mina quedó excluida y la furia apareció en su rostro. En esta ocasión, el Profesor no la ignoró por completo.

—Señora Harker, por favor siéntese y observe.

Poco la tranquilizó, pero se sentó, como le indicaron.

—Doctor Steward —ordenó el Profesor—, al suelo y boca arriba. Señorita Westenra, móntelo de inmediato.

John se acostó en el duro piso de madera y las ásperas fibras le rasguñaron el lastimado trasero. Lucy se bajó de la mesa lo más rápido posible. Se arrodilló encima de él y ella misma se colocó en su caliente pene.

—Señor Morris, al frente.

Quincey tomó su lugar. Se paró con las piernas bien abiertas, abrazándose, y Lucy se metió su miembro a la boca.

—Y señor Holmwood, atrás. Depende de usted que desaparezcan los efectos del conde Drácula.

Arthur se arrodilló atrás de Lucy y metió su largo pene en el recto de la muchacha.

—Señora Harker, por favor. —Van Helsing le entregó dos varas a Mina. Por un instante, se les quedó viendo como tonta, pero después las hizo sonar a un ritmo regular.

Las cuatro personas que estaban en el piso se movieron al mismo tiempo que sonaban las varas.

Cuando Lucy se hundía en John, Arthur la penetraba; se levantaba, Quincey le metía el pene a la boca. A John le pareció que la expresión en el rostro de la muchacha era de gozo. Rápidamente entró a otro reino. Ser llenada por todas partes sacó lo mejor de ella.

John sentía que los músculos de la vagina de Lucy se tensaban a su alrededor conforme Mina mantenía el ritmo. Los carnosos pliegues lo envolvían y lo apretaban. El masaje hizo la magia. Su pene se hinchó y sintió que los testículos ardían en fuego. Su trasero se elevaba y caía en las ásperas tablas. Lucy se balanceó en su pene y en ese momento, los testículos de Arthur chocaron contra los suyos. Quincey, de pie, emitía una fuerte esencia masculina, que se mezclaba con los deliciosos aromas dulces de Lucy. John le frotó los inflamados pezones y ella se retorció, su interior se volvió más resbaladizo y lo apretaba con más fuerza.

Mina golpeaba las varas a paso tenso. John sintió que sus ritmos se unieron y se movían como uno solo. El fuego de sus testículos prendió y llegó a su pene. Se clavó en Lucy, y al mismo tiempo Arthur la penetró por atrás y Quincey por enfrente. El cuerpo de Lucy se contrajo, como si estuviera dándole un ataque. El sonido salió al unísono de cada hombre cuando los enlaces se fusionaron. Fue como si un rayo hubiera golpeado a los tres.

Estaban bañados en sudor, jadeando, pegajosos.

—¡Basta! —dijo Van Helsing, azotando la palmeta con fuerza en el trasero de Quincey, hasta que se retiró; después hizo lo mismo con Arthur, a quien le tomó más tiempo moverse y por lo tanto recibió más golpes.

Lucy se levantó, dejando a John solo en el piso. Se sentía atontado, agotado.

—Arriba, Dr. Steward, o te levanto.

John se puso rápido de pie, pero no lo suficiente como para evitar que la palmeta le golpeara el lastimado trasero.

—Acompañen a la señora Harker a casa —les ordenó el Profesor—. El conde Drácula ya no es una amenaza.

Los hombres se vistieron aprisa. Quincey y Arthur salieron del cuarto llenos de alegría. No obstante, Mina se quedó rígida en la silla, aún con las varas en las manos. Cuando John le tocó el brazo, brincó y le dirigió una mirada agresiva. Se puso de pie y se apresuró a llegar a la puerta.

—Profesor, ¿necesita algo más? —preguntó John.

Van Helsing se sentó en la silla que Mina abandonó. Lucy estaba entre sus piernas, bajándole el cierre. John abrió la boca, sorprendido. Vio liberado al largo pene de Van Helsing —nunca lo había visto y le impresionó el largo y ancho del miembro no circuncidado.

Lucy lamía la piel para levantarlo y jugaba con los enormes testículos, mientras John se quedó parado como tonto. ¡Van Helsing permitiendo esto! ¡Una indulgencia de la carne! John apenas creía lo que veían sus ojos.

—Retírate, Dr. Steward —dijo el Profesor, señalando la puerta con la palmeta que traía en las manos—. Como verás, salí victorioso.

Parte 5:

Lucy

CAPÍTULO VEINTIDÓS

Salí volando de ese maldito manicomio, sin esperar a que el Dr. Steward ni nadie me acompañara, y en la entrada exigí que un carro me llevara de regreso a la mansión Westenra de inmediato. Mi cuerpo y mi cerebro ardían en llamas. Había visto cosas que una mujer virtuosa no podía presenciar.

Tampoco nunca me habían insultado tanto a causa de mi género. Van Helsing, el pesado sádico, me trató como si no fuera competente y mucho menos digna de conocimientos ni experiencia.

En la casa solariega, no acepté el té que me ofreció Verna y me retiré a mi habitación con una copa de jerez, aunque incluso después de beberla toda me sentía demasiado alterada como para dormir. En un impulso, me dirigí al establo, a pesar de la consternación de Hodge, e hice que me ensillara a la yegua Capullo de Rosa para dar un paseo de media noche. Y la monté. Sin inmutarme, me senté en ella a horcajadas, como hombre; atravesamos los campos y nos dirigimos al Bosque Mulgrave.

Cuando entramos al bosque, obligué a que su paso se convirtiera en galope y pronto en trote, pues respiraba agitada y el esfuerzo la hizo sudar. Por instinto, siguió los caminos que conocía.

Era una noche preciosa, tranquila, aunque yo tenía los nervios de punta.

Cada rama quebrada, cada canto de un búho, hacían brincar mi cuerpo. Encima de mí, la luna brillaba con su blanco fantasmal y estaba tan llena, que parecía que iba a explotar. Sentí humedad entre las piernas, era diferente al fluido constante que recientemente me había acosado, y supe que había empezado mi ciclo menstrual.

Llegamos a un claro y Capullo de Rosa se detuvo de repente. La azoté con las riendas y le enterré los tobillos, pero se negó a continuar.

—Está bien —le dije—, si estás decidida a ser necia, supongo que podemos descansar aquí.

Desmonté y la amarré a una rama.

Sentía que mi cuerpo ardía en llamas. Había sido testigo de depravaciones que en realidad no eran tales, pues si lo fueran no hubiera ansiado participar en ellas, no me sentiría tan ignorada.

El aire era húmedo y el cielo estaba despejado. Volví la vista al infinito número de estrellas y me pregunté por qué el destino me había traído a Whitby a ser testigo de actos que me arrebataron la virginal opinión que tenía de la vida. Ahora añoraba la pasión que había visto que otros disfrutaban. ¿Alguna vez serán saciadas mis ansias? Un grito de desesperanza escapó de mis labios porque me di cuenta que podía vivir el resto de mi vida insatisfecha.

De repente, Capullo de Rosa relinchó, como si compartiera mi pena.

—¿Sabes? Hay momentos que siento que no lo soporto —le dije.

—Sí, lo sé —respondió una voz. Salté asustada.

Un hombre alto, que vestía una capa larga, estaba parado en la orilla del bosque. Mi corazón empezó a latir con fuerza porque me di cuenta que estaba sola con un desconocido en el matorral.

—Me conoce, señora Harker —dijo, entrando al claro. A la luz de la pálida luna vi que se trataba del conde Drácula. Esta certeza no logró aliviar mi miedo. De hecho, en mi mente él era el diablo en persona y me sentí desprotegida ante su presencia.

—Buenas noches, señor —dije y volteé hacia donde estaba Capullo de Rosa, ansiosa por escapar.

—No le permitirá montarla —me informó.

No hice caso de su aviso y luché por deslizar mi pie en el estribo. La yegua estaba alterada, se asustó y se alejó de mí; cuando insistí en mi intento por montarla, se levantó en dos patas.

—¡Basta! —le ordené, asustada, pero el caballo no obedeció—. ¿Qué le hizo? —le pregunté al Conde, dándome la vuelta.

Me sobresalté. Estaba parado a centímetros de mí y tenía su cruelmente bello rostro sobre el mío. Un vago aroma llenó el aire, un trasfondo de tierra y todo lo sensual.

—Controlé su voluntad, como controlaré la suya.

Sus oscuros ojos me abrazaron. No podía hablar y sentía que las piernas me pesaban y no podía moverme. Estiró una mano y desabotonó mi blusa lentamente. Jaló la tela, dejando mis hombros y mis senos, sostenidos por el corsé, expuestos al tibio aire de la noche.

—No debe hacerlo —logré decirle—, soy una mujer casada. ¿No es un caballero?

—Soy un guerrero —contestó— tomo lo que quiero. Y te quiero a ti, Mina.

Sus palabras me provocaron escalofrío. Temblé y sentí que se me ponía la piel de gallina.

Quitó los broches y el moño de mi cabello; hasta que éste cayó suelto sobre mis hombros. A pesar de que estaba semidesnuda frente a él, no me dio vergüenza. Una mirada hacia abajo me indicó qué sentía, mis pezones se endurecieron, ansiando que los tocara. Y los tocó.

Sus dedos los masajearon hasta que se volvieron más firmes, obligándome a arquear la espalda y a sacar los senos sin pudor, como si estuvieran deseosos de más. Me tomó de la cintura y me levantó como si no pesara. Pegó los labios a uno de mis pezones. Eché la cabeza hacia atrás y abrí la boca. Besó y chupó mi delicada piel, llevándome a la cumbre de un placer que me parecía imposible; placer que amenazaba con inundarme. Entonces, probó mi otro seno. La sensación me invadió. No podía hacer más que quedarme en sus brazos, gimiendo, temblando, consciente de que su enorme virilidad se oprimía en mi cuerpo, sintiendo que la humedad roja resbalaba por la parte interior de mis muslos y que, por alguna razón, no me incomodó.

No sé cuánto tiempo jugó con mis pezones, sólo que las sensaciones produjeron placer físico en todo mi cuerpo, hasta que sentí que moriría de deleite.

Antes de que me diera cuenta, me desabrochó las enaguas y el corsé.

—Por favor —le supliqué, avergonzada por lo que sabía que iba a encontrar. Ningún hombre había visto mi menstruación. Sentí que no soportaría la humillación. Me resistí en sus fuertes brazos, pero no había igual para su fenomenal fortaleza física. Bajó mi prenda íntima y quedé desnuda ante él.

Rompió las riendas de Capullo de Rosa y me indicó una baja rama de árbol. Lo seguí de buen grado, pasiva por sus intoxicantes caricias, y ansiaba beber hasta saciarme de él y perder los sentidos.

Me ató las muñecas a la rama; podía tomarme de la gruesa vara y lo hice, pues sentí la necesidad de asirme a algo. Con los brazos sobre mi cabeza, mi cuerpo ardía de deseo. La noción de ser mujer me envolvió por primera vez en mi vida, una mujer en presencia de un hombre poderoso que me deseaba.

Con las manos partió en dos lo que quedaba del cuero y levantó uno de mis pies. Me amarró el tobillo, de manera que la punta de mi bota evitaba que me moviera; después ató el otro tobillo igual.

Mi cuerpo latía en llamas a causa de un peculiar deseo, nuevo para mí.

Estaba colgada de un árbol, como una fruta madura a la que le escurren sus dulces jugos, a punto de estallar y liberar todo, a punto de que la corten.

El conde Drácula se colocó debajo de mí. Su grande boca cubría casi toda la abertura de mi feminidad. Sentí su fresca y áspera lengua besándome de atrás hacia delante y viceversa. Bebió la sangre y otros fluidos que emanaban de mí, como un hombre muerto de sed.

Gemí en éxtasis. Nunca había tenido esta necesidad, esta urgencia. Se hundió en mi orificio, extrayendo los fluidos, y gemí porque mi pequeño y endurecido clítoris se estremecía bajo sus incesantes atenciones.

Así nos quedamos, yo oscilaba sobre su ansiosa boca mientras la luna seguía su camino en el firmamento. Mis gritos se mezclaron con los de las criaturas de la noche. Me dio descanso hasta que el cielo empezó a clarear.

Estaba débil. Exhausta. Sensible. Mis inflamados pezones punzaban; la regordeta abertura de mi feminidad latía; la piel de todo mi cuerpo vibraba, abierta en su dirección.

Soltó mis ataduras y me jaló hacia él. Pegó los labios en mi garganta afanosamente. Sentí un piquete que me quemó y me fundí en los brazos de mi amante demonio, que me envolvió en su capa oscura. Su voz se arremolinó en mi mente con una orden.

No sabía cómo entendería lo que debía hacer, pero lo comprendí. Y además, no volvería a verlo hasta que obedeciera.

Tampoco supe cuándo me dejó, pues de repente me quedé sola y desnuda en el claro. Me sentí abandonada. Solitaria. Fría por el fresco rocío. El amanecer se acercaba con rapidez. Me puse la ropa y monté a Capullo de Rosa, que ahora estaba muy tranquila. Antes de que saliera el sol, llegué a la casa y me cambié para ir al manicomio.

Capítulo veintitrés

Justo antes de que saliera el sol, Mina Harker apareció en la oficina de John Steward exigiendo:

—Quiero ver a Lucy. ¡Ahora!

—Me temo que no es aconsejable, señora Harker. Como sabe, el profesor Van Helsing está tratando su estado...

—No me importa. Insisto en que me deje ver a Lucy de inmediato y no acepto un "no" por respuesta.

La mujer parecía decidida. Por un momento recordó las órdenes del Profesor. Si Van Helsing supiera que lo desobedeció, John se enfrentaría a una buena paliza. Por otro lado, ¿cómo se enteraría? Y aunque lo descubriera, con Lucy fuera de servicio, John era hombre suficiente para resignarse a la idea de satisfacer sus placeres donde los encontrara. Su trasero sanaba bien y estaba ansioso de mayores atenciones. Antes de que Van Helsing regresara a Ámsterdam, John pretendía conseguir otra probada de esa impresionante palmeta con agujeros, una probada que podría prolongarse.

—Está bien, señora Harker, pero no se quede mucho tiempo. Lucy necesita descansar para que su terapia sea eficaz.

Acompañó a Mina a la celda de Renfield. El Profesor insistió que esa noche Lucy, encadenada como la vez anterior, fuera llevada a los dormitorios ocultos que estaban en las entrañas del manicomio. Por lo que Van Helsing había dicho, John esperaba que en poco tiempo el Profesor tratara a Lucy a solas. Tenía planes para la señorita Westenra, eso era obvio, pero John no los entendía.

Lucy abrió los ojos, hinchados por tanto llorar, y a través de las rendijas vio a su amiga.

—Mina —susurró—. Ya veo que conoces su poder.

John supuso que se referían a Van Helsing. Era claro que Lucy lo conocía, pero Mina no del todo, pues no había probado sus castigos directamente.

—¿Puedo hablar a solas con ella? —preguntó Mina.

—Por supuesto —contestó John y salió de la celda.

Las dos mujeres susurraron y se rieron, mientras John y el loco Renfield las observaban. Éste estaba parado en la ventana con barrotes que tenía la puerta, sonriéndole y chupándose los labios con su gruesa lengua.

—Las mujeres son misteriosas, ¿verdad, Dr. Steward? Qué hombre racional espera entenderlas y aún así, los hombres racionales las siguen como las mariposas a la luz. O a una boca humana —Se puso en los labios un insecto de alas marrones. Las antenas de éste se movieron con fuerza antes de que se lo tragara su terrible destino. El hombre era repugnante y a John le daba terror dejar a Lucy sola con él, pero eran órdenes de Van Helsing y él sabía más de estos asuntos. Era obvio que el tratamiento fue efectivo, pues John no había visto una sola vez que la caprichosa Lucy Westenra se negara a cumplir las demandas.

Cuando Mina terminó, la acompañó al carro que la esperaba.

—¿Va a pasar aquí la noche? —preguntó.

—El Profesor hizo algunos arreglos. No son de su incumbencia, Mina, pues son por el bien de Lucy y se le ha dado buena atención.

—¿Cree que está respondiendo bien?

—Eso me parece, aunque tenemos que esperar el otro tratamiento que recete el Profesor.

Una extraña sonrisa apareció en el rostro de Mina. John la ayudó a subir al carro, sosteniéndola del brazo. Casi se cae de espaldas y por instinto, la mano libre del médico se apresuró a detenerla por el trasero. Mina se tambaleó un momento y después continuó subiendo al carro. John tuvo la impresión de que la "caída" fue planeada, aunque no se imaginaba a la seria señora Harker haciendo eso. Una vez que la puerta se cerró, ella se asomó por la ventana para verlo y le dedicó una libidinosa sonrisa, a la que respondió. Tal vez era su imaginación, pero podía jurar que no traía el cabello tan apretado y que sus facciones no eran las de antes. Lucía mucho más atractiva y pícara, él se preguntaba por su potencial.

—Lo hago a usted personalmente responsable de que Lucy esté bien atendida. Se encargará de eso, ¿verdad, doctor Steward? ¿John?

Al pronunciar su nombre, su pene recibió un mensaje y se puso erecto. Le sorprendió el efecto que Mina estaba produciendo en él, como si ella hubiera abierto un espacio oscuro de su naturaleza.

El carruaje echó a andar y John se quedó viendo cómo se alejaba, imaginando a la señora Harker desnuda, con un bate de críquet en las manos.

CAPÍTULO VEINTICUATRO

Dormí hasta que el sol se puso en el horizonte y el cielo se quedó sin color. Desperté en mi cama, renovada. Alejé los cobertores de mi ardiente cuerpo y me acosté cuan larga soy, con el camisón hasta la cintura y un hombro caído. La ventana estaba abierta y el aire fresco acariciaba mi expuesta piel.

Observé cómo el cielo oscurecía, hasta que ya no distinguí la línea del horizonte. Incluso antes de verlo, sentí su presencia. El ambiente se tornó denso, como si se avecinara una tormenta. El viento se volvió más frío y sopló las cortinas. Me costaba trabajo respirar y me congelaba. Mi cuerpo temblaba con violencia y ardientes deseos, aunque tenía la carne de gallina.

Cuando apareció en la ventana de mi recámara, que estaba en un segundo piso, no me cuestioné cómo lo hizo. Simplemente abrí los brazos y él entró en ellos.

En segundos, mi cuerpo quedó liberado del camisón. Sus besos eran ásperos y apasionados. Sentí dolorosas mordidas en todo el torso, en especial en mis ansiosos pezones. No pude hacer nada para detenerlo, y tampoco quise. Lo único que logré fue gemir para expresar mi placer y mi dolor.

Nos revolcamos y retozamos en la cama hasta que prácticamente quedé colgada de la orilla, con la cabeza casi en el suelo. Enterró sus dientes en mis prominentes senos. Sólo gemía y gritaba de placer conforme castigaba mis pezones con su decidida boca, cuya lengua chupaba, mordía y golpeaba la servicial piel. La sangre se me subió a la cabeza, me mareé, ya no sabía quién era.

Atormentó mis senos hasta que creí que me desmayaría por la sensación, después me levantó del cabello y sus labios atraparon los míos.

Mi cuerpo ardía en deseo. Jadeé, no podía respirar bien porque la pasión me envolvía. Su boca encontró la herida de mi garganta y volvió a perforarme, enviando olas de placer por todo mi ser, provocando que mis partes femeninas se contrajeran con violencia y la sangre escurriera del orificio.

Su hambrienta boca siguió el camino de piel para llegar a esa fuente roja y volvió a beber hasta saciar su sed.

Tan ilícito placer me avergonzó muchísimo, pero aun así no quería más que satisfacerlo de esta manera. Su lengua exploró todas mis aberturas, deslizándose hasta lo más profundo de mi ser y estimulándome con su caliente aliento.

A la luz de la luna, me enderezó y quedé sentada sobre sus piernas, con su enorme miembro entre nosotros. El poder emanaba de su rostro y su voz ordenaba:

—Mientras jugaban en mi contra, contra mí, que regí naciones, intrigué y luché por ellos, cientos de años antes de que nacieran, los intercepté. Ahora, tú eres carne de mi carne, sangre de mi sangre, piel de mi piel, familia de mi familia, mi pródiga prensa de uvas que después te convertirás en mi compañera y mi ayudante —Se cortó un seno con la uña y ordenó—: Bebe, Mina.

Horrorizada y fascinada, me dirigí a su seno como un niño a un pezón. La sangre salió de la herida y la bebí. Con las manos en mi nunca, me mantenía firme contra él. No podía respirar por la nariz y me vi obligada a jalar aire y sangre con la boca. Al principio, este acto me pareció repulsivo, pero la mano que mi amante tenía libre se deslizó por mi espalda y penetró ambos orificios, yo bebía con desesperación mientras sus dedos se clavaban en mí, provocándome espasmos de placer.

Mis paredes internas se tensaron a su alrededor. Sus caricias eran como cerillos tallando una piedra, cada intento calentaba todas las superficies hasta que una chispa amenazaba con aparecer. Con cada ataque la chispa estaba más cerca de cobrar vida.

Cuando estaba a punto de encenderme, retiró los dedos de repente. Grité de frustración. Me tomó de los hombros y me alejó de él, obligándome a ver sus negros ojos.

—Esta noche no te satisfaré —dijo.

Herida, rompí en llanto.

—Acuéstate boca abajo, Mina —me ordenó. Invadida por la desesperanza, obedecí.

Colocó dos almohadas bajo mis caderas, elevando en el aire mis pudorosos y excitados orificios. Después me tomó la mano y la colocó entre mis piernas.

—¡Complácete! —ordenó.

—¡No puedo! —grité. Nunca lo había hecho y siempre me enseñaron que no era correcto. Pero insistió con la mirada y no me sentí con fuerzas para desobedecer.

Guio los dedos a mi resbaloso clítoris. Cada caricia enviaba una ola de placer que me estremecía. Me froté en círculos, provocando que mi trasero se elevara y cayera. Pero el Conde llevó mis dedos a mi interior. Nunca había sentido esta deliciosa área, la piel tan resbalosa y tan estriada, tan receptiva a mis propias caricias.

Dirigió mi mano en rítmicas estocadas. La punta de mis dedos acarició la sensible y caliente carne inflamada por el deseo, de la misma manera que él me había tocado. Mi respiración se aceleró y mi corazón latió más rápido. Experimenté un cosquilleo y un jalón en todo el cuerpo. Mis piernas se separaron por voluntad propia y mis senos sobresalieron, exigiendo que los acariciaran. Usé la mano que tenía desocupada para tocarlos y satisfacer a uno de ellos.

Jugué con mi pezón como el Conde me enseñó. Sentí como si éste y la abertura de entre mis piernas estuvieran conectados. ¿Cómo no lo sabía?

El calor llegó a un nivel peligroso. La incineración parecía inminente y no podía detener lo que había empezado.

Por instinto, me froté más fuerte y más rápido, mi cuerpo se agitaba y se sacudía. El trabajo se volvió más laborioso y al mismo tiempo más sencillo, pues entre más rápido lo hacía más placentero era. Mi sagrario tomó mis dedos en un grueso abrazo y los apretó fuerte.

De repente, la habitación giró y después desapareció. Perdí el aliento por completo y me precipité a un abismo de aire hirviendo. Grité delirando de placer. Mi cuerpo se convulsionó como si fuera a darme un ataque. No podía detener los gritos ni los movimientos, tampoco lo deseaba.

Llegó la conclusión natural y me quedé acostada en las sábanas bañada en sudor y tranquilizada por el aire nocturno. Agotada. El Conde estaba en algún lado de la habitación, aunque no lo veía, sólo una sombra con feroces puntos de luz roja. Su voz me llenó de energía.

—Cuando mi mente diga: "Ven", cruzarás tierra o mar para hacer mi voluntad, y esto es con esa finalidad.

Sabía que era cierto. Me había dado un extraordinario conocimiento, que me liberó. Ahora podía ofrecerme lo que los otros no me daban. Sabía que en el futuro me llevaría a conocer placeres más hedonistas. Haría lo que fuera por él.

Me contorsioné, giré, enredé y estiré, como un felino acalorado. Mi universo se expandió y descubrí un secreto que todos, al parecer, sabían, menos yo. Pero ahora yo también lo conocía. No importaba lo que ocurriera a partir de ese momento, ya no sería la misma, gracias al conde Drácula.

Capítulo veinticinco

—Párate entre los postes a los que te encadenará el Dr. Steward —Van Helsing se oía tranquilo, controlado, y John Steward sintió que necesitaba la seguridad que daba esa voz para lo que iba a ocurrir.

Lucy, desnuda, atravesó la habitación por voluntad propia.

—Sí, mi Amo —dijo, con tono dulce, sin tener la menor idea de lo que le esperaba. Era diferente, más suave, y John estaba sorprendido por cómo había cambiado.

Los postes a los que se dirigía estaban en el baño del manicomio. Era aquí donde los locos como Renfield eran amarrados a las tiznadas paredes de cemento para el baño semanal, pues sin él, el hedor del sudor, vómito, orina y heces fecales se volvía insoportable para el personal.

Lucy separó las piernas y abrió y levantó los brazos. Su escultural cuerpo era seductor, regordete en los lugares adecuados y delgado donde debía. Su larga cabellera rubia le caía por la espalda, deteniéndose justo antes de sus brillantes glúteos rojos.

Mientras John le amarraba las muñecas, Arthur y Quincey le ataron los tobillos a los postes. Lucy se contorsionaba y echaba el cuerpo hacia adelante. Su lengua salía disparada de la boca y se sacudía en dirección a John, quien sintió cómo se le tensaban los testículos.

—¿Va a azotarme otra vez? —preguntó ansiosa y con los pezones duros. John se percató de que su ácido aroma de mujer llenó la habitación.

—No precisamente —contestó el Profesor—. Tu tratamiento ahora se vuelve de naturaleza más profiláctica. Agáchate todo lo que puedas para que te examine el trasero.

No lo dijo en el tono clínico por el que Van Helsing era famoso, sino con una calidad profunda y gutural en la voz que logró que John se le quedara viendo perplejo. El hombre parecía cambiado. En los últimos días, su mente oscilaba entre su precisión y la lasitud emocional. Ahora le quedaba claro a John que el Profesor estaba obsesionado con Lucy, mucho más que cualquier hombre que conocía.

Lucy se inclinó hasta la cintura para que su trasero quedara al aire, como las lascivas fotografías francesas de las mujeres en burdeles. Las manos de Van Helsing se deslizaron por los glúteos carmesíes y ella se restregó en él, con los ojos cerrados, el torso arqueado con gracia y la cabeza hacia atrás en éxtasis. Pero cuando John esperaba que el Profesor le examinara el ano y los orificios vaginales, el hombre simplemente le acarició el trasero con morbo.

Terminó divirtiéndose y se dirigió al pequeño caldero que estaba en la mesa. En él había carbones ardientes y un atizador, calentándose al rojo vivo. Quincey había sido consultado respecto a este tratamiento, pero al parecer Van Helsing aprendió muy rápido lo que necesitaba saber. El Profesor retiró el hierro. Se chupó los dedos y tocó la punta. La humedad provocó que la vara ardiente crepitara; a ésta se le había colocado una pequeña cruz, cuyas barras medían no más de un centímetro.

—Agárrenle las piernas —Van Helsing ordenó a Arthur y a Quincey con la cabeza—. Tú le detendrás las caderas, no deben moverse —le dijo a John, que de inmediato se colocó frente a Lucy. Le apretó la cadera en la medida que las ataduras se lo permitieron y la sostuvo con la presión de su cuerpo. Arthur y Quincey le tomaron un muslo cada cual y le pusieron los brazos alrededor con fuerza.

—¿Estás de acuerdo con este tratamiento, Lucy? Porque si no, estás perdida.

—Todo lo que me pida y más, Amo —jadeó.

—No te cierres al dolor —Van Helsing le advirtió—, de lo contrario los resultados serán menos eficaces en los niveles visibles importantes. Debemos evitar una futura infestación de la más baja forma de vida, el vampiro, y salvarte del hombre capaz de dominar tu promiscua naturaleza.

—Ése es usted, mi Amo —dijo con la cara rebosante de orgullo y deseo.

Pero al poco tiempo, esa expresión se convirtió en horror. Van Helsing le puso la imagen de la cruz en el trasero. Sus gritos perforaban el aire. La cadera le tembló y John la mantenía lo más quieta posible; el Profesor ordenó:

—¡Que no se mueva! —Arthur y Quincey también hicieron lo que pudieron. Pero la agonía de Lucy le dio una fuerza superior y entre los tres tuvieron que sostenerla.

Escurrió orina por entre sus piernas y heces líquidas de su recto. Sus infames gritos hicieron que John deseara llevarse las manos a las orejas.

El Profesor asintió y los tres hombres soltaron a Lucy, que se desmayó. Tenían instrucciones de aventarle al cuerpo el agua fría de las cubetas que estaban esperando, para revivirla y para limpiar su cuerpo de las emisiones inmundas e impropias de una dama. Cuando lo hicieron, John, que estaba al frente, no localizó el área marcada para refrescarla.

De repente, se impactó al ver que la negra cruz estaba colocada justo arriba del ano. La imagen lo impresionó momentáneamente, pero recuperó la compostura para echar agua a la quemadura. No se imaginaba lugar más vulnerable.

Van Helsing le vio el rostro y señaló el bastón de metal.

—Ningún demonio de la noche podrá penetrar ese pasaje. Sólo los demonios menores —dijo con ironía—. Lávenla, revívanla y tráiganla a mis aposentos de inmediato.

Van Helsing había recuperado su antiguo tono correctivo, aunque John sabía que a pesar de lo que hiciera, esta noche no sería el receptor de la meticulosa atención del Profesor. Todo su tiempo estaba reservado para Lucy.

John tocó la piel quemada con la punta de los dedos y Lucy gritó. Pensó en todos los años que estuvo al servicio del Profesor, y los últimos dos dedicados a cumplir los caprichos de Lucy. Ninguno dejó un impacto duradero, no con la magnitud de esta marca. La envidiaba.

—En nuestro mundo hay torturas mucho más exóticas, doctor, pero uno debe rendirse a un Amo que posea dicho conocimiento.

Todos voltearon al escuchar la voz. El conde Drácula llenaba la puerta, Mina Harker apenas se distinguía atrás de él, con el cabello revuelto, los ojos grandes y los rosados labios abiertos. Al momento, John supo que estaba bajo el hechizo del Conde.

—¡Te negamos el acceso! —dijo Van Helsing con descaro, pues era obvio que sabía a quién le hablaba.

Drácula echó la cabeza hacia atrás y se rio, dejando al descubierto sus largos caninos.

—¿En serio? ¿Y crees que tu marca es tan mística que no puede borrarse? Quizá tu amigo estadounidense pueda instruirte respecto a las complejidades de dichas marcas de propiedad.

—Tiene razón, Profesor —Quincey aceptó.

—¡Silencio! —ordenó Van Helsing—. Vete, demonio, regresa al infierno del que saliste.

Drácula no se fue, entró a la habitación.

Se dirigió a Lucy, que colgaba sin fuerza de sus ataduras, aunque la acarició con cuidado hacia el frente; entonces John tuvo la impresión de que la marca había causado efecto.

Drácula tomó la barbilla de Lucy, la cual levantó. Gritó y luchó por abrir los ojos. Cuando lo hizo y vio a Drácula, intentó voltear la cara de inmediato hacia Van Helsing, susurrando "Mi Amo", pero la sostenía con fuerza.

—Ya veo —dijo el Conde, una oscura expresión cruzó por sus severas facciones.

Tontamente, según la opinión de John, Quincey y Arthur corrieron para rescatar a Lucy. Drácula volteó hacia ellos. Con la mirada y el dedo señalando al suelo, gruñó:

—De rodillas, insectos, donde deben estar.

Se derribaron a sus pies, Quincey se colocó de cuerpo entero en el sucio suelo, mojado con el excremento de Lucy.

Drácula caminó por el lugar, como si fuera el dueño. John tuvo la clara impresión de que estaba pensando en algo y en el momento que supo qué, el Conde lanzó una mirada en su dirección y se paralizó. Se sintió como un muchacho insolente, golpeado por hacer una pregunta tan personal.

—¿Qué quieres? —preguntó Van Helsing. El Profesor no era tonto. Sacó el hierro, usándolo como escudo para proteger a Lucy y a él mismo.

—Tú eres un hombre de ciencia y yo de instinto.

—No eres hombre, sino un monstruo muerto viviente.

—Monstruo quizá, pero sigo siendo hombre, Profesor, tan seguro como que la señorita Westenra confía en ti.

—¿Cuál es tu punto?

—Los dos dominamos las artes oscuras, eso es obvio, pero aún no sé si creer que tus métodos son superiores a los míos.

—¿No lo ves? Lucy es mía.

—Quizá por el momento. Pero no puedes mantenerla prisionera. Debes dormir. Alguna vez te enfermarás. Eres más viejo que ella y es muy probable que mueras primero, mientras que yo, viviré para siempre.

John se percató de que esas ideas ya habían cruzado por la mente de Van Helsing.

Drácula extendió su bota hacia Quincey, quien de inmediato empezó a lamerla.

—Si estuviéramos en igualdad de circunstancias, propondría un combate, para ver cuál de los dos merece ser llamado Amo Supremo.

—Idiota —dijo Van Helsing, aunque John podría decir que la idea lo intrigó.

—Más bien sería una competencia. El ganador se queda con el premio —Drácula señaló a la hermosa mujer que estaba suspendida entre los postes—. El vencido abandonará para siempre la búsqueda en su dirección.

—¡Tonterías! —aulló Van Helsing—. ¿Por qué arriesgaría lo que ya me pertenece?

—Cuando eres un verdadero Amo, la pérdida de un esclavo es incomprensible. Por supuesto, no eres mi igual, por lo tanto ese concepto te rebasa. Claro que la idea de una competencia es ridícula.

Van Helsing le dio la espalda a Drácula, lo que John consideró un acto de valentía. El Profesor suspiró.

—Digamos que acepto, ¿por qué debo creer que cumplirías con el trato?

—Te doy mi palabra.

Van Helsing se dio la vuelta y se rio.

—¿Y por qué podrías jurar?

—La reputación de mi casa es muy valiosa para mí. El conde Tepes fue un guerrero cuya palabra era honorable, eso debes saberlo. Aunque sea en un estado después de la vida, no deshonraré a mis antepasados.

El Profesor se sentó en una silla y estudió a Drácula, igual que a John. El noble exudaba poder y majestuosidad —John apenas podía sostenerse en pie, casi lo inundaba el deseo de caer a sus pies y ayudar a Quincey con esa asquerosa bota. Los ojos de Drácula eran órbitas oscuras que se tragaban toda la luz de la habitación.

Sus duras facciones indicaban que podía ser despiadado. John se preguntaba a cuántos había matado en su época, en las batallas y en otros momentos, pues la historia registró la leyenda de este infame conde guerrero. Había matado con estacas a miles, castigado con severidad a ladrones, sido brutal con fuertes y débiles por igual. Y ahora, en el estado corrupto en el que vivía, ¿los límites que los hombres normales conocían podrían detener a este vampiro?

John recordó los azotes que Lucy recibió en Carfax, multiplicados por cada noche que el Conde la había poseído. El recto de John se contrajo y su pene se endureció. Ser castigado así continuamente, del anochecer al amanecer, por alguien que no respeta las fronteras comunes y corrientes...

Drácula giró en su dirección y John sintió que la cara y el cuello se le ruborizaban.

—Dr. Steward, cuando se presente la oportunidad, sepa que lo desollaré hasta arrancarle la vida, o quizá el otro lado de ella.

John sintió que el color lo abandonó.

—¡Basta! —Van Helsing se puso de pie de un brinco—. Propusiste una competencia y aceptaste actuar según el resultado. El ganador se lleva todo y el perdedor volverá a casa derrotado.

Los ojos de Drácula sonrieron, aunque sus labios no se movieron.

—Eso dije, Profesor.

—¿Y cómo será la competencia? ¿Nos enfrentaremos por la lealtad de Lucy?

—Una batalla pedestre, ¿no estás de acuerdo? —dijo Drácula con frialdad—. Durante el día, te quedas con ella; de noche, es mía. Cualquier tonto sabe que esa lucha pronto aburriría a los combatientes. No, profesor

Van Helsing, sugiero un enfrentamiento de dimensiones mucho más interesantes.

—No me hagas perder más tiempo, te escucho.

El Conde retiró el pie de la hambrienta lengua de Quincey y caminó por la habitación.

—Estás convencido de que tu lógica convierte a cualquier hombre o mujer en dominante o sumiso, ¿es cierto?

—Sí, ésa es mi teoría, aunque con ciertas excepciones, claro, que son pocas.

—En ese punto estamos de acuerdo, Profesor. Lucy, por supuesto, era dominante, como podrá confirmarlo el pellejo de estos tres lacayos llorones —Drácula volteó a ver a Quincey, a Arthur y a John con desprecio—. Pero ahora está del otro lado, ¿verdad?

—Otra vez, ¿cuál es tu punto? —Van Helsing estaba poniéndose de mal humor y John empezó a sudar a causa de la emoción nerviosa. Cuando el Profesor se enojaba, podía ser muy severo.

—Se supone que tu lógica e intelecto superiores pueden regresar a Lucy a su estado anterior, ¿o eso rebasa tus poderes?

El Profesor hizo una pausa. John sabía que Van Helsing no se sentía seguro en ese campo. ¿No había intentado revivir la crueldad de Lucy y descubrió que era imposible?

—Te aseguro, Profesor, que yo sí puedo —Drácula dijo tranquilo.

El reto estaba hecho y Van Helsing lo aceptó.

—Si lo deseo, puedo hacerlo.

Una sonrisa maliciosa torció los labios del Conde durante un segundo y después se esfumó. John no sabía si la había imaginado o no.

—Otro ejemplo es la señora Harker. ¿Puede llegar al otro lado del espectro?

Mina se había quedado parada en la esquina, olvidada como siempre. John volteó a verla. Parecía que todo lo dicho la intrigaba. La mirada de Mina se encontró con la de John y la pasión viva que descubrió en ella lo abrasó.

—Obviamente es masoquista por naturaleza —dijo el Profesor—, pero llegar a ese ser requiere de más tiempo del que estoy dispuesto a comprometer. Está llena de reglas y reglamentos sociales.

—Yo creo que es sádica —dijo Drácula sin ninguna entonación.

—¡Tonterías! —Van Helsing se rio.

Aunque no tenía mucha experiencia en descubrir inclinaciones naturales, John estaba de acuerdo con el Profesor. Mina demostraba señales de pasividad a través de su frustración y no veía que tomara las riendas de ninguna manera.

—Entonces —dijo el Conde sin alterarse—, no te opondrás si intento inculcarle cualidades de dominio.

El Profesor vio con sagacidad al Conde.

—Deseas que reavive la naturaleza dominante de Lucy y tú le enseñarás lo mismo a la señora Harker. Creo que sé a dónde vas —Drácula asintió—. Muy bien —dijo Van Helsing—. ¿Cuánto tiempo necesitas de preparación?

—Una hora, quizá dos.

Van Helsing quedó un poco impresionado y John se dio cuenta que había calculado que tendría más de una noche.

—A menos, claro, que sientas que tu trabajo será más sustancial —dijo Drácula con burla.

—No necesito más tiempo —contestó el Profesor—. El Dr. Steward preparará la arena, si estás de acuerdo.

—Excelente. Antes del amanecer conoceremos el resultado. ¿Estás preparado para vivir con los resultados, Profesor?

—Eres tú quien debe prepararse para vivir con lo que seguramente será tu derrota.

—La derrota —repitió Drácula enigmáticamente— toma un significado del todo diferente cuando uno ha vivido muchas vidas.

Capítulo veintiséis

El Conde me llevó a un bosquecillo cerca del manicomio. Nos sentamos en la yema de un abedul bajo el cielo de la noche, yo en sus fuertes brazos, envuelta en su negra capa que oscurecía hasta a la luz de la luna, me sentí como en un vientre.

Escuchaba mi respiración y un solo latido. Tenía el regazo expuesto en el interior de su recubrimiento, me tocó y acarició los senos, provocándome suspiros. Las secreciones fluyeron entre mis piernas, aromáticas, dulces y maravillosas; me sentía segura sabiendo que yo, con la ayuda del conde Drácula, podía satisfacer mis crecientes ansiedades. Conforme entraba a un estado sonámbulo, los sonidos llenaban mi ser, palabras que no entendía con claridad. Los susurros de los fantasmas en el viento me llenaron, me penetraron, me guiaron.

Cuánto tiempo estuvimos así, no lo sé. Pero de repente, me puso de pie y caminamos de regreso a la fortaleza de piedra que albergaba al manicomio. Y a Lucy. Se había convertido en una obsesión, de eso me di cuenta para mi consternación.

Pasamos el sótano, donde se había llevado a cabo el enfrentamiento con Van Helsing. Descendimos por angostos escalones de piedra y techo bajo. El aire era muy tibio y las paredes estaban húmedas. El aroma a tierra saturó mis fosas nasales y cuando me recargué en el muro, sentí que algo corrió por la punta de mis dedos. Mis senos revivieron con la sensación.

En el último nivel del edificio, llegamos a la habitación iluminada por antorchas que estaba al final del corredor. En el interior, situada a la mitad del lugar, había una jaula circular hecha con alambres cruzados. Alrededor de la celda en forma de caja, se colocaron cinco sillas.

Van Helsing estaba parado en una esquina del cuarto con Lucy, quien vestía una larga capa color rosa. Eso y la difusa luz le daban a sus mejillas un tono durazno y crema. Por alguna razón desconocida, me molestó. El Dr. Steward, el señor Morris y Arthur Holmwood estaban presentes, y curiosamente también el señor Renfield, con las manos atadas al frente. Todos voltearon cuando el conde Drácula y yo entramos.

El Dr. Steward se acercó a nosotros de inmediato.

—El Profesor creyó que sería más justo que una persona imparcial hiciera la selección y no alguien involucrado personalmente. Como en el edificio no hay nadie objetivo en cuya discreción pudiéramos confiar, me tomé la libertad de pedirle al señor Renfield que eligiera una variedad de implementos; a cambio, se le pidió que presenciara el evento —Sabía que el señor

Renfield sería discreto, pues aunque no lo fuera, nadie le creería.

El Conde asintió con la cabeza a la explicación.

La puerta de la jaula estaba entreabierta y el Dr. Steward nos acompañó a Lucy y a mí al interior.

—Desvístanse, por favor —nos dijo. Esto no me lo esperaba. Por instinto, volteé hacia Drácula. Sus ojos oscuros se clavaron en mí, tranquilizándome, dándome órdenes. No me percaté de que me había desvestido, hasta que las faldas cayeron en mis tobillos.

También me quité los zapatos y las medias. Lucy sólo tenía que desabrocharse la capa que tenía amarrada en la garganta, pues abajo no traía ropa.

Su curvilíneo cuerpo resplandeció con la luz de las velas. Tenía los pezones erectos e inflamada el aura que los envolvía. Me vio con una expresión de altanería y maldad en el rostro. Sabía que en el pasado me hubiera avergonzado, pero ahora simplemente ansiaba el poder de cambiar esa expresión por otra, una que denotara dolor y sumisión a mi voluntad; una de humildad.

—Si los dos están de acuerdo —dijo el Dr. Steward al conde Drácula y al profesor Van Helsing—, procederemos de la siguiente manera: Ninguno de los espectadores puede interferir; en el momento en que una de las participantes asuma el control físico de la otra, se permitirá el uso de implementos. De hecho, ése es el orden natural, pues a menos que una controle lo suficiente a la otra, ningún castigo físico funcionará.

El Conde le dirigió una severa mirada al Dr. Steward, igual que el profesor Van Helsing. Ninguno de estos dos dinámicos hombres permitiría que alguien que con frecuencia llegaba al fondo de la interacción, le diera sermones sobre el arte del dominio. El doctor se veía realmente arrepentido, y no me quedaba duda de que más tarde pagaría por sus pecados.

—El combate se decidirá —continuó— cuando una reverencie a la otra y diga la palabra "Ama". ¿Hay algún punto a discutir? De ser así, los debatiremos dentro de un marco razonable de tiempo.

—El resultado debe determinarse antes del amanecer —confirmó el conde Drácula—. De no ser así, no respondo.

—Ni yo —respondió Van Helsing.

—¿Señoritas? —nos preguntó el Dr. Steward, con nuestra ropa en el brazo.

—No, John —dijo Lucy con timidez. Esa coquetería que en el pasado me intrigaba, ahora llevó mi carácter reprobatorio al límite. Esta muchacha necesitaba disciplina. Era obvio que la señora Whippet y el Dr. Van Helsing habían fracasado, me tocaba a mí hacer el trabajo sucio.

Antes de que pudiera contestar al Dr. Steward, Lucy me atacó. Me agarró del cabello y giró el puño. El fuego abrasó mi cuero cabelludo y grité. Me volteó y me dio un fuerte golpe en la cara, y otro de revés en la otra mejilla, rasguñándome con las uñas.

Le tomé el brazo que tenía libre y se lo doblé en la espalda. El dolor que sentía por el jalón de cabello era casi insoportable, pero no sucumbiría. Le di una nalgada, el seco sonido resonó en el hueco sótano, intercalado con los gritos de John.

—¡No hemos empezado!

—Redundante como siempre, Dr. Steward —le respondió el Conde.

Capítulo veintisiete

Cuando John tomó su lugar entre Drácula y Van Helsing, el agudo sonido de carne contra carne le resonaba en las orejas. Mina había liberado su cabello, a pesar de que Lucy aún tenía un buen pedazo en la mano. Ahora, ella tenía los brazos en la espalda y la mano de Mina cayó fuerte sobre sus temblorosos glúteos. John, atorado entre los dos poderosos amos, que estaban molestos con él, se sintió atrapado en una maraña de tensión. El peligro era palpable.

—¿Esto te recuerda algo, Lucy? ¿Secretos compartidos y placeres prohibidos? —Mina le preguntó en una voz tan baja, que John no estaba seguro de las palabras. Lucy, cuya espalda y enrojecido trasero se veían con claridad, giró, se dio la vuelta y rápidamente aventó a Mina contra la pared de la jaula. Mina rebotó en los alambres y cayó al suelo. Con el rubio cabello volando, en un segundo Lucy estaba encima de ella.

La reactivada naturaleza agresiva de su ex amante, excitó a John. Sabía la rapidez con que se movía y lo extremas que podían ser sus acciones. Sintió envidia de

Mina, pues Lucy la montaba a horcajadas, de espalda a su cara.

De un grupo de implementos que el señor Renfield colocó en la periferia de la jaula, Lucy tomó una palmeta del tamaño de un cucharón de madera, pero plano. La usó para azotar el trasero de Mina. La delgada mujer, desacostumbrada a tan rápido e inmediato dolor, se retorció y luchó con fuerza para quitarse de encima a su opresora.

Pero Lucy estaba empeñada en ganar. Con su peso aplastaba a Mina contra el piso. John no entendía cómo el Dr. Van Helsing había realizado esta inversión en Lucy. Había escuchado algunas palabras y sabía que se habían hecho promesas de una posterior saciedad que obviamente Lucy ansiaba, como lo demostraba el vigor con el que aplicaba la pesada cuchara de madera.

Mina gritó y le enterró la uña al muslo de Lucy. La sangre fluyó de los fieros cortes rojos. Por fin, Mina agarró el largo cabello de su amiga y se la quitó de encima.

La ira oscureció el rostro de la señora Harker. Si John hubiera podido interpretar la expresión, hubiera dicho que Lucy estaba a punto de recibir una grande dosis de una medicina desagradable.

Las dos mujeres se ensuciaron con la mugre que había en el piso del sótano. El cieno marrón añadía atractivo a sus senos y glúteos que rebotaban y se sacudían.

Mina tiró a Lucy y le arrebató la palmeta de la mano, pero en el instante recibió el mismo trato. Lucy, a quien siempre le gustaron los instrumentos, recuperó la palmeta y la usó en las partes carnosas de los hombros y los senos de Mina.

—Aprendiste bien de la señora Whippet —dijo Mina jadeando mientras se defendía—, pero necesitas un curso de actualización —Por un curioso giro del destino, Lucy perdió el equilibrio y cayó de lado, sin que John encontrara el motivo. Mina aprovechó la oportunidad.

Acorraló a Lucy en la pared de la jaula y la controló sólo con su peso corporal. Se sentó sobre la señorita Westenra, que estaba tendida boca abajo y padeció el trato de la corta aguijada que en el manicomio se empleaba para llevar a los enfermos a un área en especial. Sin embargo, Mina la usó como vara para azotar a Lucy. Al tiempo que la golpeaba sin piedad, le dijo:

—Necesitas disciplina, señorita, y con urgencia —El rostro de Lucy parecía impresionado, pero de repente el éxtasis cubrió la agonía. Sus ojos llamaban a los de Van Helsing en busca de explicación.

John vio al Profesor por el rabillo del ojo. Como hombre que acata las reglas, no dijo nada. No le dio instrucciones. Pero la intensidad del desagrado emitido por ese severo rostro congeló a John. Lucy percibió tal desagrado con más intensidad que él. Lo vio en sus ojos —la expresión indefensa de estar atrapada entre dos deseos—. Quería rendirse a la palmeta, vivir con ella y permitirle que la controlara por completo hasta que se convirtiera en parte de ella. El otro deseo, el más fuerte, era complacer a su Amo, sabiendo que a largo plazo su palmeta sería imperecedera.

Con una fuerza que a John le pareció inhumana, Lucy se quitó a Mina de un empujón. Se puso de pie en segundos. Un tono marrón claro manchaba sus resplandecientes glúteos, y la combinación de colores lo excitó. De repente, pensó que nunca lo habían castigado en el suelo, probando la agridulce tierra, dejando que sus lágrimas la convirtieran en lodo, que bebería y chuparía conforme lo azotaran y su pene le hiciera el amor a la tierra misma.

Las mujeres lucharon hora tras hora, con los cuerpos bañados en sudor, pues el sótano era una mezcla peculiar de frío y humedad. Sus esencias inundaban el ambiente, provocando la excitación de los hombres. El polvo que cubría sus vibrantes cuerpos se oscureció con la humedad. Cabellos claros y oscuros volaban, las dos parecían criaturas salvajes, elementales, que peleaban una batalla que decidiría el destino del mundo.

Mientras tanto, el peligro en el que estaba sentado, hacía vibrar a John. Su trasero estaba delicadamente posado en el borde de la silla y se movía de manera involuntaria ante el recuerdo de antiguos castigos. El sudor rodaba por su espalda y se aflojó el cuello con dedos temblorosos. El corazón le latía de miedo y de deseo por ser usado y abusado por estas mujeres, por cualquier hombre o monstruo y, cuando realmente era él mismo, por todos al mismo tiempo.

CAPÍTULO VEINTIOCHO

Lucy me llamó "traidora" y usó el lenguaje más obsceno, como "perra" y otras palabras que se usan en los bajos fondos y que nunca había escuchado, aunque instintivamente entendí por su vaga cualidad onomatopéyica. Pero no me molestaron. Parecía una persona del todo distinta. Mis antiguas inhibiciones desaparecieron y ya no me sentía tímida ni temerosa. La fuerza de mi Amo me protegía, como si su poderosa naturaleza estuviera en mi interior, guiándome.

Lucy me paralizó atrapándome las rodillas. Me dobló la espalda y me bloqueó la garganta con una pierna, mientras me aprisionó las manos entre las piernas y las levantó por atrás. Indefensa, no pude hacer nada para que dejara de torturarme los senos con un diabólico implemento de madera. Los jaló, los tiró, los picó y los giró como si fuera a arrancármelos del cuerpo. Aullé de deliciosa agonía y luché por liberarme. En un arrebato de dolor, me moví bruscamente hacia un costado y Lucy empujó varios dedos hacia el interior de mi ano, fuerte, lo más profundo que pudo. ¡Llegó muy lejos!

Mis dientes se clavaron en su antebrazo y la mordí. Gritó y sentí que se rasgó algo bajo su piel. Probé la cobriza sangre que fluía, era gruesa como un licor de fruta. Estaba tibia, pero rápido se enfrió en mi boca.

Lucy me alejó de ella. La sangre me dio renovada fuerza. Tomé su largo cabello y la azoté en la pared de la jaula. Las emocionadas miradas de los caballeros me indicaron que sus rasgos se distorsionaron al ser aplastados contra los alambres. El conde Drácula se veía complacido. Sus oscuros ojos lanzaban chispas rojas en mi dirección y mi energía aumentó.

—Por su respuesta, señorita Westenra, creo que le sentarán mejor dos semanas de azotes —No sé de dónde salieron esas sabias palabras, aunque las reconocí como órdenes de la ilustre señora Whippet—. Primero te sometiste a una mujer y ahora volverás a hacerlo, ése es el orden natural de las cosas —Sin dudarlo, estrellé su rostro en los alambres repetidamente.

Van Helsing se puso de pie de un salto. Logró controlarse cuando estaba a punto de gritar porque estaba destrozando las bellas facciones de Lucy. Volvió a sentarse y sentí cómo se arremolinaba el triunfo en mí.

Mis acciones, junto con la inadecuada respuesta del Profesor, provocaron que rompiera más que la nariz de Lucy. Cuando la retiré, estaba ensangrentada y parecía derrotada, y sabía que gran parte de esta última reacción la provocó el mismo profesor Van Helsing. La aventé de espaldas y le caí encima. Le atrapé ambas muñecas sobre su cabeza y nuestros labios se encontraron, los de ella estaban cubiertos de sangre.

—Ríndete, Lucy, porque no puedes vencerme. Nos conocemos hace más tiempo de lo que conocemos a este género inferior. La señora Whippet fue la primera a quien te entregaste con libertad, es a mí a quien ahora debes someterte.

Parecía que ya no le quedaban fuerzas para luchar. Sin embargo, sentí que de sus poros emanaba el deseo de abandono. Quería complacerme, obedecerme, prolongar el dolor y el placer que le daría. Percibí la fuerza de su deseo y lo reconocí por el anhelo que me provoca el Conde. Segura de que sabía que podía dejarla tirada donde estaba, con su voluptuoso cuerpo moviéndose, jadeando, sucio y ensangrentado, revisé la lista de implementos que el señor Renfield había elegido tan diplomáticamente.

Regresé con un trozo de cáñamo. Coloqué a Lucy en la pared de frente a los hombres y la ubiqué de tal manera, que viera directamente a Van Helsing, quien tenía al señor Renfield a sus pies masturbándose alegremente. Lucy lloriqueó y volteó a ver al Profesor. Éste tenía los rasgos horrorizados y la mirada salpicada de furia. La emoción lo volvió débil ante ella, ante todos nosotros. Por el rabillo del ojo, vi que el conde Drácula se deleitaba con el resultado de los eventos.

—Dele un beso de despedida, Profesor —le dije con atrevimiento—, pues usted no sirve y su control ya no funciona. Lucy es mía ahora, como siempre lo ha sido, mucho antes de que usted apareciera —Las palabras que salieron de mi boca no eran mías, las dije como si estuviera poseída. Aun así, esa voz habló de mis propios secretos.

Una vez que controlé a la orgullosa señorita Westenra, con los tobillos y las muñecas atados juntos donde la jaula llega al suelo, su trasero se elevó en el aire para que todos lo vieran. Sus derrotados rostro y pecho quedaron oprimidos deliberadamente contra la tierra. Elegí un látigo muy pequeño. No sé cómo sabía el impacto que provocaría, pero lo sabía. Parecía que había encontrado una fuente de conocimientos que rebasaba mi comprensión.

El mango del látigo medía diez centímetros y una docena de tiras de cuero de veinte centímetros cada una, estaba conectada a él. Un látigo femenino, pensé, muy bien usado en el trasero de una mujer para renovar su virtud.

—Te azotaré hasta que anuncies a la autoridad a quién te someterás. Mientras llega ese momento, puedes expresar tu agonía como quieras, pues sólo te provocará placer cuando menciones la respuesta correcta.

Le envolví la cintura con cuerdas amarradas a la parte superior de la pared de alambre, esto con el efecto de sostenerle el trasero en alto y facilitar los azotes. Sabía que la posición era incómoda, pero eso la hacía más interesante.

Me paré atrás de ellas y dejé caer con fuerza el látigo en un glúteo de su ya rosado trasero. De inmediato, apareció una docena de líneas rojas. También azoté el otro glúteo. Surgieron más líneas. Sin descanso golpeé cada nalga en sucesión, separando con cuidado las tiras después de cada latigazo pasándole los dedos. En momentos, Lucy se quedaba sin aliento de tanto gritar.

El silencioso látigo dejó una escandalosa impresión. Las líneas crearon un patrón, me esforcé por dirigir los azotes para que el diseño de un glúteo fuera exacto al del otro, como un niño haciendo manchones de tinta.

Su cuerpo hizo el esfuerzo de moverse, giró y peleó para bajar el trasero y evitar mi implemento de corrección, pero astutamente —y una vez más no supe dónde adquirí ese conocimiento— la amarré muy bien y estaba atrapada.

El cuadro que dibujé iba adquiriendo tonos, desde rosa hasta morado, siendo rojo el color dominante. Las líneas entrecruzaban y se abrían en abanico en su trasero, los colores más oscuros en el exterior del patrón. Cambié de posición para lograr el efecto de abanico también en la parte superior y los costados de las nalgas. Conforme la golpeaba con alegría, descubrí la marca de la cruz sobre su ano. Van Helsing era un tonto. Una vez que mi Amo Drácula reclame a Lucy, otra marca hará desaparecer a ésa. Imaginé la barra central convertida en D, con un semicírculo del lado derecho, de arriba abajo, y a la izquierda del centro una barra con una C. Sabía que mi Amo aprobaría ese diseño.

Hice una pausa para meter mi dedo índice en su canal anal y mi pulgar en su orificio femenino, y los apreté con fuerza. Lucy tembló y me suplicó que me detuviera, pero el acto era tan placentero, en especial su respuesta, que me inspiró para volver a hacerlo antes de que siguiera azotándola.

Mi brazo izquierdo tenía una fuerza sorprendente. Podía continuar con este castigo por tiempo indefinido, o cuando menos eso parecía. Mi cuerpo giraba en un movimiento rítmico, girando, volteando y estrellando el látigo con una fuerza que no sabía que tenía. Cada azote me provocaba una deliciosa tensión y me perdí en el placentero laberinto de mis propias sensaciones físicas. El látigo y mi mano ya no eran dos, sino uno, y el trasero de Lucy un zapato que calzaba cómodamente a mi pie.

—¡Basta! ¡Detente ya! —Van Helsing se puso de pie, igual que el conde Drácula, cuyos rasgos estaban impregnados con la expresión del vencedor.

—Ama Mina, perdóname. ¡Ama Mina, soy tuya! —Lucy lloraba.

En segundos, el Conde abrió la jaula y arrancó de los alambres las ataduras de Lucy. Tomó en brazos a su premio. Sus ojos no hicieron contacto con los míos y eso me dio miedo, aunque de alguna manera también me sentía segura de que aprobaría mi victoria y la forma en la que la había logrado.

Salió del lugar, yo atrás de él. El profesor Van Helsing tomó una pistola, sin duda cargada, y nos apuntó. Fue el loco Renfield quien se puso de pie y movió el brazo del Profesor, gritando:

—¡Señor, puede darle a Lucy o a la señora Harker!

La descarga de la bala en la pequeña habitación vacía fue ensordecedora; rebotó en las paredes de piedra y no supe dónde cayó, hasta que oí gritar a Lucy.

Drácula volteó, con una expresión desdeñosa.

—No puedes ganar ni perder con dignidad, Profesor. Lucy me pertenece ahora, me la gané limpiamente con tus civilizadas reglas. La salvaré de la muerte que quisiste provocarle. Te sugiero que aprendas de tus errores. Pues cuando volvamos a vernos no seré tan amable. ¡La próxima vez serás tú a quien lleve en mis brazos!

Me costaba subir los angostos escalones, pues Drácula tomaba cuatro a la vez, apenas le seguía el paso. Afuera, el viento gemía furioso como si la aproximación del Conde se lo ordenara. Los árboles con nuevos brotes se agitaban con fuerza y era como si se avecinara una violenta tormenta. Aunque el amanecer estaba cerca, oscuras nubes envolvían al cielo, haciendo que pareciera media noche.

—Amo, ¿vamos a volver a su país ahora?

Drácula depositó a Lucy, que se desvaneció, en la parte trasera de un carro negro con enormes caballos oscuros y regordetes que lo esperaba. Se volvió hacia a mí como si después de haber olvidado que estaba allí, lo recordara. Tomó mi barbilla firmemente con su mano y giró mi cabeza, para que el cuello y las heridas con las que me había honrado quedaran a la vista.

—Hasta que el tiempo lo permita —dijo con nostalgia, la punta de sus incisivos brillaban con la poca luz que el cielo ofrecía. Mi cuerpo ansiaba que lo penetrara—, te quedarás en Inglaterra.

—Pero Amo —grité—, no soporto vivir sin usted. ¿Por qué tengo que quedarme?

Las palabras que salieron de mi boca dibujaron una expresión de censura en su rostro, como si no tuviera derecho a cuestionarlo. De inmediato, me hundí y me hice para atrás, pero me agarró de la nuca y me acercó; su aliento me enfrió la mejilla.

—Te quedas porque yo lo ordeno. Espera el regreso de tu esposo. Si no puedes satisfacer sus deseos, cuando menos aprende a saciar los tuyos. Entonces estarás lista para mí y sólo en ese momento escucharás mi llamado y vendrás a mí.

Saber que esa noche no sería satisfecha, que se iba, abandonándome con estos incompetentes mortales, me llenó de desesperanza.

Conforme mi Señor de las Pasiones Oscuras se perdía en la noche, azotando el látigo en las cabezas de esos caballos de mirada agresiva, algo en mi interior se hizo añicos. Un frágil lazo casi se rompió. ¿Y por qué? De repente encontré la respuesta, Jonathan. Un triste destino me unía a él, de lo contrario podría estar con mi verdadero Amo en este momento.

Cayó la lluvia, enfriando mis huesos, lavando el lodo de mi cuerpo y lo que quedaba de las caricias del Conde. La cantidad de agua apenas excedía la de mis lágrimas.

CAPÍTULO VEINTINUEVE

—Se acabó —dijo Arthur—. Lucy está muerta.

—¡No! —gritó John—. La bala entró en el hombro, no creo que se muera.

—No me refiero a eso —contestó Arthur—, sino a que está muerta porque está con Drácula.

—Aún está entre los vivos —le recordó Quincey.

—Para mí, Lucy está muerta —Arthur dijo con firmeza.

—¡Silencio! —Van Helsing estaba furioso. Daba vueltas como león enjaulado en espera de que le abrieran la puerta para que volviera a ser una bestia libre en el mundo.

Mientras el Profesor caminaba, John se percató de que nunca había sentido que una emoción de esa magnitud emanara del hombre. Emoción que lo aniquiló. Fue el comportamiento de Van Helsing lo que debilitó a Lucy, no lo que hizo Mina, ni sus extraños y codificados mensajes. La base de la fuerza de Lucy se desplomó. Van Helsing le falló.

Podían decirse muchas cosas del conde Drácula, pero el control que ejercía en sus pasiones subyugó al que para John había sido el más grande Amo. La pérdida lo volvió triste y asustadizo, pues su visión del mundo se vio obligada a cambiar.

De repente, Van Helsing se detuvo en seco. Vio a los demás, uno por uno, una pizca de algo inquebrantable brillaba en sus ojos. John se sintió impulsado, y sabía que Arthur y Quincey experimentaron lo mismo.

—Caballeros —dijo el Profesor con calma—, hagan las maletas de inmediato. ¡Esta noche salimos para Transilvania!

PARTE 6:

LA REUNIÓN

Capítulo treinta

Regresé a Inglaterra en una fría y despejada mañana y tomé el tren a Whitby. Hasta donde sabía, Mina seguía en casa de Lucy y esperaba encontrarla allí. Lo que no me imaginé fue que estuviera sola. Y furiosa.

La puerta la abrió un hombre alto y delgado que se identificó como Hodge, el mayordomo, un señor de aspecto sobrio. Encontré a mi esposa en la sala, sentada tensa en un sofá y viendo hacia los campos de la parte trasera de la casa que llevaban a un bosque.

—Mina —dije.

Volteó, una expresión de sorpresa cruzó por su rostro. Casi de inmediato se transformó en ira, e hizo un débil intento por ocultarla.

—Jonathan —dijo, como si me hubiera visto ayer. Lucía pálida, bajo coacción, con los rasgos llenos de amargura y decepción. No sabía por qué me había parecido atractiva.

Aun así, abrí los brazos y consciente de sus deberes entró en ellos, con el cuerpo rígido. Vi dos heridas frescas en su cuello, la marca del vampiro. Me besó en la mejilla, como si el trabajo fuera desagradable.

Me pareció un grito distante de los lujos y decadentes experiencias en las que hacía poco había participado. Después de una ausencia de varios meses, pensé que un saludo más extravagante era el apropiado. Me enojé con ella y lo expresé en mis palabras.

—Mina, supongo que estabas esperándome.

—En lo absoluto —contestó, terminando con el abrazo para regresar a su lugar junto a la ventana. Veía hacia el campo como si añorara a alguien que acaba de irse por ese camino—. No he sabido de ti en dos meses, nada esperaba.

—Claro que supiste de mí —le recordé—. Recibí el dinero que te pedí y la carta sobre el estado de Lucy. Debiste recibir la mía.

Me dirigió una mirada especial.

—No sé a qué te refieres con una carta tuya, pues no recibí nada. Claro que te escribí. Una esposa le escribe a su esposo. Simplemente no contestaste.

Suspiré y fui a sentarme junto a ella. Se hizo a un lado como si fuera un desconocido tratando de acercarme a ella. O estaba jugando un estúpido juego conmigo o en serio no mandó el dinero. ¿Y cómo recibí su carta? Pudieron enviarla del castillo, pero nadie sabía que estaba en el Monasterio. ¿O sí? Y existe la posibilidad de que la carta haya sido interceptada.

Analicé el perfil de Mina. No tenía razones para mentir, pero se comportaba raro.

—Bueno, eso lo arreglamos después —dije—. Por ahora basta con que haya regresado y estemos juntos otra vez —Pero a decir verdad, la idea me hacía muy desdichado. De repente pensé que había cometido un grave error al casarme con esta muchacha. ¿Qué le vi? Cualquier potencial desapareció en los últimos meses. Pero, claro, yo no era el mismo hombre que la dejó en Londres para ir a venderle bienes raíces al conde Drácula.

—¿Y qué pasó con Lucy? —pregunté, esperando que un tema más inofensivo no le alterara el estado de ánimo— ¿Cómo está?

—No está.

—¿No está? No estás diciendo que murió.

—¡Claro que no! —Mina dijo con brusquedad—. Nada tan optimista — Nunca había oído tanta hostilidad en su voz—. Se fue a Transilvania con el Conde. Sus amantes la llevaron allá, igual que el profesor Van Helsing, un especialista que llamaron para tratar su supuesto "estado".

—Entiendo —dije, aunque la verdad no comprendía nada, sólo que Lucy estaba en manos del Conde. Una sonrisa se dibujó en mi rostro al pensar que la pequeña y petulante Lucy, tan dominante que a veces era autoritaria, estaba sometida al Señor de los Muertos Vivos. No me quedó duda de que se entregó a él, en todos los sentidos.

Mina descubrió mi sonrisa y me retó.

—¿Qué es tan chistoso, Jonathan?

—Un simple pensamiento, Mina, sobre Lucy —contesté, intentando calmarla, como lo había hecho antes, aunque estaba impacientándome.

—¡Lucy! —gritó— ¿Todos tienen que preocuparse por Lucy? ¿Y yo qué?

Antes de que pudiera detenerla, corrió a la chimenea y tomó un puñado de vara de abedul. Me apresuré a llegar a ella, intentando tranquilizarla, pero se volteó hacia mí y me golpeó la cara con las ramas.

Parecía que estaba poseída. Me quedé sorprendido. Era una loca empeñada en hacerme pedazos, me arrancó la chaqueta y me bajó la camisa hasta la cintura, después me azotó sin piedad con las duras varas.

Las ramas cortaron la piel de mi pecho, brazos y estómago, dejando líneas rojas llenas de sangre. Era una mujer delgada, pero la ira dominada su poder. Mientras me golpeaba, la observé, analizando fríamente lo que tenía frente a mí.

Mina me azotó con furia. Tenía la mirada desquiciada. Giró el cuerpo en un arrebato de violenta emoción. Las varas se astillaron y se rompieron, pero siguió pegándome con los restos, como si yo personificara todo lo que la frustraba. Y así era, estaba impregnada de frustración.

El dolor que sentía en la piel no era nada en comparación con el dolor que su cuerpo exudaba. Entre más ira sentía, más fuerte me azotaba; entre más fuertes eran los golpes, más volátiles sus sentimientos. Y aun con este exorbitante despliegue emocional no mostraba señales de calmarse.

Alcanzó un estado de histeria, gritaba, le salía espuma por la boca y movía los ojos sin control. En el momento en el que me di cuenta de que no íbamos a llegar a ningún lado, me dio miedo. Le tomé las muñecas.

—¡Basta!

Mina echó la cabeza hacia atrás y dejó escapar un aullido, que sonó como un animal herido. Apenas podía creer lo que oía.

—¡Suéltame! —Tembló— No me toques ¡No vuelvas a tocarme! Le pertenezco al conde Drácula, y nada más a él.

—Mina, no sabes lo que dices.

—Claro que sí. Iré a él. Mañana.

Llorando sin control, se soltó y salió corriendo de la sala, dejándome parado con el pecho lleno de heridas y el corazón aún más lastimado.

No sabía qué le pasó a Mina. ¿Cómo llegó a ese estado? De acuerdo, era preferible a la criatura atenuada que me saludó, aunque no era un comportamiento que me atrajera. Si la frustración hubiera disminuido, habría resistido la tormenta. Era como un caldero sin fondo de ira, que alimentaba a la tormenta y que se alimentaba de ella, así sucesivamente, y que nunca amainaría. Estaba seguro, como que me llamo Jonathan, que el Conde la había usado de manera despreciable en su beneficio y ésa era la raíz de la locura. No sabía qué hacer, si es que algo podía hacer.

Pero también sentí lástima por mí, por entrometerme. ¿Con qué me quedaría? ¿Con una esposa que parecía una rosa marchita o una llena de espinas? No quería ninguna.

—¿Señor? —Era Hodge.

—Sí, ¿qué pasa? —pregunté, tan consternado que sólo atiné a acomodarme la camisa.

—Últimamente han pasado muchas cosas y tengo mis propias observaciones. ¿Me permite hablar con libertad, señor?

—Por favor, hágalo.

Hablamos durante la siguiente hora, después de la cual todo lo que había confundido a mi llegada quedó completamente claro.

Capítulo treinta y uno

J onathan. Pensar en él me enfurecía. ¡Cómo lo despreciaba! Era insoportablemente débil. No como el conde Drácula, cuyo poder me emocionaba. El Conde entiende las necesidades de las mujeres.

Estaba decidida, mañana iría por tren a Transilvania. Era una acción temeraria y no sabía cómo viajaría sola, pues nunca había escuchado que una mujer lo hiciera. Ni siquiera Lucy haría algo así, excepto en Inglaterra y quizá en Francia, pero jamás en países tan primitivos como los que había entre Inglaterra y Transilvania.

Lucy. El puro nombre me volvía loca. Tenía todo y yo nada. La culpaba, quizá injustamente, por ser el centro de mi frustración. Desde mi llegada a Whitby, Lucy se burló de mí, me llevó al extremo y no me dio alivio. Pero no sólo ella. Los demás también conspiraron, el Dr. Steward, Arthur, Quincey, el profesor Van Helsing. Hasta Verna contribuyó. Todos menos el conde Drácula, quien me llevó a alturas que nunca había alcanzado.

Me negaba a quedarme con Jonathan. No era hombre, sino un niño incapaz de satisfacerme, y no quería pasar la vida sin ser saciada. Si mi destino era compartir al Conde con Lucy y las demás para obtener alivio, pues que así sea. Podría vivir en harén, uno con muchas mujeres y quizá hombres, que el Conde favorecía con sus atenciones. Algo es mejor que nada. ¡Maldito sea Jonathan!

Cuando mi esposo me acompañó a cenar, actuó como si nada extraordinario hubiera pasado. Tenía la cara marcada por los azotes que le di. Si hubiera tenido más ramas y frescas, lo hubiera dejado sin cara.

Se sentó del otro lado de la larga mesa, Verna y Hodge nos sirvieron asado de carne con pan fresco y mantequilla dulce. No hablamos hasta el postre, cuando Jonathan empezó a contar de su viaje.

—He de decirte, Mina, que según mi experiencia, hay mucho que aprender de otras culturas. Creo que aquí en Inglaterra nos gusta sentir que somos el país más avanzado en la faz de la tierra, pero no es así. Otros tienen conocimientos que podríamos llamar primitivos, pero que abarcan una gran sabiduría que al final, es más importante de lo que tenemos en la mente. En el futuro espero seguir haciendo viajes de negocio y ojalá me regalen nuevas ideas.

Suspiré, aburrida de él y de sus emocionantes recetas de sabiduría.

—Siento que va a dolerme la cabeza —dije. Era mentira, pero me negaba a estar en su presencia y prefería mi propia compañía.

—Antes de que te vayas —se dirigió a mí, poniéndose de pie— deberíamos discutir tu viaje.

Jonathan quería hablar de mi "viaje" como si fuera una visita al mercado y no una travesía al otro lado del continente.

—Creo que no hay nada que discutir —respondí de manera cortante.

—Al contrario, Mina. Claro que sabes que hacer ese viaje sola involucra ciertos peligros, una vez que te alejes de los lugares más civilizados.

No quería tocar ese punto. De hecho, tenía miedo. Las mujeres no viajan solas. ¿Pero qué podía hacer?

—Estaré bien —le aseguré, aunque yo no estaba segura.

—Como seguimos casados, es mi deber acompañarte.

—Me temo que eso no...

—Mina, insisto. Tú no conoces el camino y yo sí. Sigues siendo mi esposa y en ese sentido soy responsable de ti. Una vez que llegues al castillo Drácula, te dejaré sola. Así eliminaremos nuestras preocupaciones y quizá le ponga un amistoso fin a nuestra relación.

Aunque opuse una inmediata resistencia al plan —la idea de viajar con Jonathan durante diez días no me atraía en lo más mínimo— reconocí las ventajas. Estaba obsesionada con el conde Drácula, eso hasta yo lo sabía. Pero seguía siendo práctica y acepté que la compañía durante el viaje aceleraría las cosas de manera importante. No hablaba lenguas extranjeras y Jonathan sí, algunas, o las suficientes para sobrevivir. Comprar pasajes, comida, hospedaje, todo eso, sería muy difícil.

Y a decir verdad, le debía el tiempo. Después de todo, estábamos casados, aunque sólo fuera de nombre. Los restos de culpa que sentía por abandonarlo con seguridad desaparecerían si aceptaba su compañía por un largo periodo de tiempo. No podía influir en mí. Era un hombre muy razonable y pasivo como para intentar exigirme algo en cuanto a derechos maritales. Parecía la mejor solución.

Jonathan pareció aliviado cuando acepté.

—Muy bien —dijo en su tono tolerante—. Me encargaré de los preparativos, si estás de acuerdo.

Asentí.

—¿A qué hora sale el tren a Londres?

—A las ocho de la mañana —respondí.

—Perfecto. Dormiré en la otra habitación de huéspedes y nos vemos en la mañana.

Salió de la habitación sin más preámbulo.

Debo confesar un sentimiento tonto. Una astilla de decepción se incrustó en mí porque no me dejó ir con tanta facilidad. Pero sabía que era una tontería. Jonathan no estaba hecho del material adecuado, al menos según lo que me constaba. No podía evitarlo. Era débil y su naturaleza le impedía ir en contra de los principios.

Una vez más, me di cuenta de lo vacía que sería mi vida con él y se renovó mi decisión de ir en busca del conde Drácula. Él era mi única esperanza.

Capítulo treinta y dos

Nuestro tren salió a tiempo de la Estación Whitby y llegó a Londres a las nueve de la mañana. Convencí a Mina de que fuéramos a nuestra casa, aunque se oponía porque se imaginaba que usaría la fuerza para dejarla prisionera allí. Nada estaba más lejos de mi mente que eso.

Mientras hacía el equipaje —pues al fin el sentido común se impuso y entendió que necesitaría ropa— yo fui al banco e hice algunas otras diligencias, incluyendo algunas compras en los barrios de peor reputación en Londres. En la tarde abordamos el tren que nos llevaría a Dover.

El viaje por el Canal inglés resultó placentero, pues el clima estaba despejado. Salí a la proa a inhalar la brisa del mar mientras recorría el estrecho pasaje que conforma el lazo más cercano entre Inglaterra y Europa.

Mina se quedó adentro, podría decir que evadiéndome. Finalmente llegamos a Francia y abordamos el tren a París. Llegamos a La Gare Central a tiempo para cenar, pero decidimos comprar algo y llevárnoslo para continuar viajando de noche, con lo que estuve de acuerdo. Compré boletos para Barcelona, con parada en Carcassonne, cerca de la frontera española. En ese pueblo había un hotel estilo inglés donde podríamos pasar la siguiente noche.

Mina y yo nos acomodamos en el compartimiento de primera clase cuando el tren salió de París. En algún otro momento, hubiera disfrutado pasar una noche en Montparnasse, pero por ahora eso tendría que esperar.

A las afueras de la ciudad, el recolector de boletos abrió la puerta para pedir los nuestros, que yo traía. Cuando se los entregué, le dije en francés que nos gustaría estar a solas y le pregunté si había manera de arreglarlo. Con el guiño de un ojo, me aseguró que un letrero en la parte exterior de la puerta avisaría a todos que el compartimiento estaba ocupado y que se encargaría de él de inmediato.

Mina se sentó remilgadamente en el borde del largo asiento que estaba frente al mío, pues los compartimentos daban cabida a seis adultos. Se asomó por la ventanilla, pero su mente estaba en otro lado. Tenía el cuerpo rígido, el rostro sin expresión. Si ayer estuvo tensa, hoy parecía una banda tan estirada, que en cualquier momento se rompería.

—Mina.

Giró la cabeza para verme con ojos vacíos. Los círculos que los rodeaban se habían ensanchado. Era obvio que no había dormido bien. Yo, por otra parte, dormí como tronco, en espera del viaje.

—Tengo curiosidad —dije—. El conde Drácula. Sabes que es vampiro porque ha bebido tu sangre. ¿Le guardas resentimiento por eso?

Sabía bien que sentimientos tenía, pues yo también había sido donante.

—¡Claro que no! —dijo con brusquedad— Si sintiera eso, ¿estaría ansiosa por reunirme con él?

—Quizá no, pero tal vez. Después de todo, te abandonó.

Me dirigió una mirada de disgusto, como si fuera un tonto incapaz de comprender lo obvio.

El tren alcanzó buena velocidad. Los ruidos del motor de vapor, el chirrido de las ruedas en las vías, el sonido del silbato, todo ese barullo combinado hacía difícil la conversación, por no decir imposible. Además, Mina había cerrado los ojos, quizá por cansancio o posiblemente para evitar más discusiones conmigo. Aproveché la oportunidad.

Abrí el bolso de viaje que estaba junto a mí y que había traído de Londres. Adentro, junto a los comestibles, estaban los objetos que compré. Saqué un lazo de cuero sin curtir, su forma se parecía al símbolo alquímico del infinito, aunque en realidad eran dos piezas diferentes. Cada óvalo tenía un extremo suelto que pasaba por una barra de cuero en el centro que tenía un agujero. Al jalar los dos extremos sueltos, los óvalos se apretaban.

Aunque parecía que Mina estaba dormida, sabía que al menor contacto conmigo se despertaría. Me moví rápido.

Deslicé un ovalo en una de sus muñecas y le coloqué ambos brazos en la espalda.

Abrió los ojos. Cuando se dio cuenta de lo que estaba pasando, se resistió. Pero para entonces, ya tenía el segundo ovalo en la otra muñeca. En ese momento era fácil jalar las cuerdas sueltas y apretar los óvalos, uniendo con eficacia sus muñecas.

—Jonathan, ¿qué crees que haces?

—Una mujer con tu inteligencia debe ser capaz de adivinarlo.

—¡Te exijo que me liberes de inmediato!

Busqué en mi bolso y dije:

—Para mí, tus exigencias ya no tienen peso, Mina. Sin embargo, siéntete libre de hacerlas, pero entérate que no serán cumplidas.

—Esto es una atrocidad —gritó cuando vio la suave palmeta de madera que saqué de la maleta. Estaba hecha de sólido abedul, una fina madera dura, de larga duración, tenía acabado en laca, lo que le daba ese aspecto esmaltado y un ligero tono amarillo.

Vi a Mina. Sus ojos eran grandes y redondos, como si no entendiera lo que tenía en mente. Aun así, tenían una chispa que me decía que no sólo sabía, sino que estaba ansiosa de que realizara mi acción. La jalé de donde estaba y la coloqué sobre mis piernas. Luchó y pateó la pared que daba al corredor, y al mismo tiempo me decía insultos que una mujer de su linaje no debería pronunciar.

Poco a poco, levanté la larga falda de su traje de viaje de lana.

Abajo había dos enaguas de algodón blanco, que también levanté. Seguía su lisa ropa interior, la cual bajé a medio muslo.

Lo que dejé expuesto fue el blanco trasero de mi esposa. En nuestro corto y triste matrimonio nunca la había visto desnuda, y quedé placenteramente encantado con los bajos y redondos glúteos que me saludaron. Recorrí la fresca piel con la mano.

—¡Cómo te atreves! —luchó, tratando de golpearme con los brazos que tenía colgados. Se los agarré y los inmovilicé, ejerciendo presión para obligarlos a que se colocaran en la parte baja de su espalda para que sólo pudiera mover las piernas.

—Esto es un tren local, no un expreso —le avisé—. Nos detendremos con frecuencia para que algunos pasajeros suban y otros bajen. Mientras el tren esté en movimiento, eres libre de gritar, nadie te oirá. Sin embargo, cuando el tren pare en la estación guardarás silencio.

—En cuanto lleguemos a la próxima estación, de inmediato pediré ayuda.

—Espero que estés preparada para que tu ayuda te vea el trasero desnudo.

Con eso la callé un momento. Pero después dijo:

—Sufriré esa vergüenza con tal de liberarme de ti.

—Te recuerdo, Mina, que yo traigo el dinero y los pasajes. En esta ruta hay lugares en los que a una mujer no le gustaría quedarse abandonada sin un centavo. ¿Y qué explicación darías? Dejaste a tu esposo para ir a dónde, a reunirte con quién. Piénsalo, Mina. La mentalidad del sur ve con malos ojos dicho comportamiento. Y no necesito recordarte las reacciones conforme avanzamos al Este.

Hizo una pausa para pensar lo que le dije.

—¿Estás planeando azotarme todo el camino a Carcassonne?

—Mi intención es darle a tu trasero el cuidado que se merece todo el camino a Transilvania.

Inhaló profundo y un escalofrío la recorrió. No obstante, no dejó de pegar en la pared con los pies.

—No puedes estar hablando en serio —murmuró.

El tren bajó la velocidad, ya estábamos llegando a la estación. Esto no lo había previsto. Si Mina gritaba con certeza el juego se acabaría. Pero para mi sorpresa, se quedó callada, salvo para seguir cuestionándome.

—Estás celoso, ¿verdad, Jonathan? Intentas hacerme cambiar de opinión.

—Por supuesto que no.

—Quieres castigarme.

—Te equivocas.

—¿Entonces?

—Lo único que quiero es satisfacer un antiguo deseo. No soy el mismo hombre que te dejó, Mina. Éste que te tiene firmemente agarrada sobre sus piernas ha aprendido muchas cosas de sus viajes. Si no mal recuerdo, accediste a hacer este viaje bajo mis términos.

Su voz se elevó cuando el tren empezó a alejarse de la estación. Sabía que no tenía tiempo y quería demorar lo inevitable.

—Tus términos, sí, pero con respecto a los preparativos, no esto.

—Estos son los preparativos que hice y te someterás a ellos. No tienes opción.

Eso la hizo guardar silencio y le provocó otro escalofrío.

Una vez que alcanzamos mayor velocidad, los molestos sonidos del tren aumentaron y pude empezar, sin temor de que escucharan a Mina.

Dejé caer la palmeta con brío en su trasero, sólo en un glúteo. De inmediato, sus nalgas empezaron a saltar en el aire. Esa respuesta me pareció satisfactoria. Conocía el golpe seco que la vara de abedul producía. El dolor era fuerte, difícil de soportar, y ella no lo tomó bien. En segundos estaba llorando a gritos, pero estaba seguro de que nadie del otro lado de la puerta la oía.

Confieso que mis esfuerzos fueron recompensados rápido. Parecía que había aprendido de mis experiencias. Cuando mi brazo alcanzó un ritmo al dejar caer la palmeta, empecé a comprender qué motivaba al Líder del culto. Sentí el rayo de satisfacción que él debió experimentar. También el agudo sonido provocaba cierta excitación. Mi acción produjo una reacción inmediata, que yo, y sólo yo, controlaba.

El viaje a la siguiente estación duró más o menos siete minutos, un trayecto decepcionantemente corto. Aunque usé bien el tiempo para aplicar con vigor la madera sólo en ese glúteo. Se enrojeció parejo, produciendo un buen contraste con la nalga blanca, eran como rosas roja y blanca lado a lado.

Cuando llegamos a la estación, mi palmeta se quedó quieta y froté su caliente trasero. No obstante, el llanto de Mina se escuchaba muy poco, lo suficiente para que nadie más que yo la escuchara, y eso era lo que quería.

Mientras esperamos que el tren avanzara, exploré su ano y genitales externos con los dedos, evaluando lo que cada cual ofrecería.

Capítulo treinta y tres

—¡Jonathan! ¡Ten piedad! —Le rogaba entre estaciones que se detuviera y que si no lo hacía, que por lo menos disminuyera la agonía dándole a mi otro glúteo el mismo grado de atención, pues resulta insoportable ser azotada de un solo lado.

Las pausas en las estaciones ya no eran largas y aún así lo eran. Dolor punzante surgía del punto que azotaba hasta que todo el glúteo se llenó de vivo escozor. Sentía como si me hubieran desollado. Y esa piel que Jonathan frotaba y acariciaba, pasó de dolorosa quemadura a tibias y placenteras sensaciones.

Y mientras esperaba aterrorizada a que el tren se moviera y con él la palmeta de madera, Jonathan exploraba mis orificios de manera fría y desinteresada.

Para cuando el tren volvió a tomar velocidad y Jonathan reanudó los azotes en ese desdichado glúteo, su pasión me impresionó. Estaba decidido y tenía su propia técnica, que aparentemente era diferente a la mía.

—Vas a reventarme la piel, si no es que ya lo hiciste —grité, pero ignoró mi queja y la palmeta no dejó de golpearme.

¡Qué manera de controlarme! Sentí que me desvanecería de dolor, pues era tan severo que me aseguró que no podía hacer nada para detenerlo. Y entre estaciones, la golpiza se convertía en el calor más delicioso. No sabía por qué me pegaba con tanta agresividad porque no entendí sus respuestas. Aunque la angustia evitaba que hiciera preguntas.

Lucy y Verna me habían azotado, ¡pero nunca así! La palmeta caía en mí, sus filosos dientes roían mi piel una y otra vez, dejándola en carne viva, y nada de lo que decía o hacía lo detenían. Cuando llegamos a Carcassonne, a la mañana siguiente, el agotamiento se llevó mis fuerzas, pero por fin me había rendido a la palmeta y la acepté como parte de mi realidad. Aunque no me produjo alivio, la rendición sí me provocó un placer especial y tranquilidad.

Un sufrimiento demasiado dulce como para soportarlo, mecía todo mi cuerpo. Mis ojos habían derramados miles de lágrimas y ya no podían llorar. Sin embargo, ahora veían claro y miré a Jonathan por primera vez.

Nunca me había parecido tan guapo, tan fuerte. Su cuerpo era musculoso, lleno de radiante energía, como si fuera una deidad del sol, capaz de avivar esa bola de fuego en el cielo.

Mientras se encargaba de ver que llevaran nuestro equipaje al hotel y de rentar un carro, yo me quedé parada pasivamente, con medio trasero en carne viva, como nunca antes lo había tenido, en espera de sus órdenes.

El viaje en el carruaje me provocaba tumultuosas oleadas en el cuerpo cada vez que mis glúteos chocaban con el asiento. No llegué al hotel muy rápido.

Jonathan ordenó que enviaran el desayuno a nuestra habitación. Mientras esperábamos, me pidió que me desvistiera y me sentara en la cama. Obedecí sin quejarme; habría hecho lo que me pidiera.

Ahora me parecía un extraño, evocador e inquietante, agresivo en su trato, alguien con fuerza de voluntad absoluta, tan sólida e indestructible como las vías del tren en el que viajamos, pero me atrajo. Por primera vez, estaba relajada, dejando que el otro me guiara.

Cuando llevaron los alimentos a la suite, me preguntaba si el calor abrasador que sentía en mi glúteo derecho algún día se mitigaría. Dudaba que ese día sucediera, no después de tantas horas de azotes. Pero esa noción producía una sensación deliciosa, todo el día y toda la noche sentiría el continuo calor. Escalofríos me recorrieron el cuerpo.

Comimos en silencio croissant, queso brie y té negro, aunque éste no era como el de casa. Estaba desnuda y Jonathan vestido. Estaba exhausta y de no haber sido por el dolor en el trasero, habría cerrado los ojos y dormido.

Cuando terminamos, Jonathan me dijo que me acostara en la cama. Se desvistió. Nunca antes había visto su órgano y me sorprendieron su tamaño y su poder. Me percaté de que un peculiar pene dorado pendía de la parte baja de sus genitales. Su forma era muy similar al falo de Jonathan. No sabía si esa joya siempre había estado allí y yo no la había notado. Por alguna razón, me pareció excitante.

Usó los cordones de las cortinas para amarrarme las muñecas a la cabecera de la cama. Sabía lo que estaba pensando y mis pezones se endurecieron a la expectativa de lo que me haría.

Colocó la cabeza entre mis piernas, que abrí ansiosa. Allí también sentía calor. Su fresca lengua recorrió mi orificio de atrás hacia delante, lentamente. Repitió el movimiento, la ancha y áspera pieza de carne se arrastró hasta mi ano y a lo largo de mis genitales externos, haciéndome temblar sin control. Mi respiración se convirtió en irregulares gritos ahogados y los senos me dolían. Cuando sentí que ya no soportaría su lengua, usó los labios para besar mi sensible clítoris. Nunca había tenido una sensación tan placentera. Jaló, besó y chupó el bultito de carne, obligando a que mis caderas danzaran y se estremecieran, mi inflamado trasero se irritaba más porque lo tallaba contra la tiesa sábana de lino. "¡Jonathan!" grité; su nombre surgió de un lugar muy dentro de mí, y me dio vergüenza no poder contenerme.

Ahora su lengua me penetró y mi vagina ansiosa por ese implemento, le dio la bienvenida a su acción de dardo. Cada poro de mi piel se abrió, ávido de saciarse con los fluidos de Jonathan. Sentía que debía beber largo y profundo, o morir.

Jonathan levantó mi cuerpo, su órgano me penetró, deslizándose completo en mi interior. Di un grito ahogado, penetrada, atravesada, como si pendiera suspendida en el aire, atada a la tierra sólo por su cálida piel en mi hermética humedad.

Sus movimientos eran firmes, seguros y profundos, sin dejar tiempo para adaptarme a ellos antes de que incrementaran la velocidad, llevándome a nuevos lugares de mi interior.

Muy adentro, sentí que se expandió un espacio. Con cada penetración, la cabeza del duro órgano besaba ese punto y, como labios hambrientos, me abría más. Lo quería en mí. Cuando lo pensé, entró más rápido y fuerte, desvaneciendo todos los pensamientos de mi mente.

Mis rodillas se doblaron y mi cadera se elevó para encontrarse con la suya. Jonathan me levantó los tobillos hasta colocarlos sobre mi cabeza.

Yacía completamente expuesta, abierta ante él, vulnerable a sus deseos, y a los míos. Insistió en tocar hasta que le abrí y entonces en verdad entró en mí.

Grité su nombre, sin poder detenerme. Mi cuerpo temblaba y se estremecía sin control. Ola tras ola de placer se estrellaba en mí y no se detuvo hasta que los dos quedamos saciados.

Dormimos hasta que se metió el sol y cuando despertamos, Jonathan volvió a tomarme. Mi preparado cuerpo recibió sus penetraciones y me roció con su refrescante líquido.

Volvimos a dormir, a despertar y a amar, y a la mañana siguiente esperamos el tren a Barcelona.

—¿Quieres continuar el viaje conmigo o sola? —me preguntó.

El día era claro y despejado. La noche con Jonathan había sido placentera, pero se había desvanecido y mi añoranza por el Conde regresó. Su rostro se dibujó en mi mente como si me llamara desde el otro lado del mundo y mi destino estuviera unido al suyo.

Jonathan no me importaba y para informárselo le dije:

—Como quieras. Si deseas acompañarme no voy a oponerme.

Una vez que nos sentamos en la cabina, Jonathan ordenó:

—¡Mina! ¡A mi regazo, de inmediato!

Me quedé helada. No podía azotarme otra vez. Mi glúteo ardería por días, así como estaba. ¡Y después de esa noche de éxtasis! Ya no me parecía tan atractivo, pero tampoco había vuelto a ser la porquería que era.

Se estiró y me jaló hacia él, furioso porque dudé. Antes de que pasara mucho tiempo, otra vez estaba desnuda sobre sus rodillas. Mi trasero tembló de miedo y expectación.

—Jonathan —dije nerviosa—, no entiendo.

—No hay nada qué entender. Deseo complacerme. Disfruto dándote nalgadas y lo haré todo el día, entre estaciones.

—Pero... ¿No te gustó cómo hicimos el amor?

—Claro que me gustó hacerte el amor. Usa la cabeza, Mina. Si no me gustara, ¿me hubiera molestado en hacértelo más de una vez?

—Ayer dijiste que no intentarías hacerme cambiar de opinión. ¿Sigue siendo así?

—Soy hombre de palabra, como bien sabes. Te aseguro que te acompañaré hasta Transilvania. ¿No fui claro al respecto? ¿Y eso qué tiene que ver con que intentes retrasar lo inevitable?

—Retrasarlo, no —contesté, aunque ésa era mi intención—. Simplemente quiero entender.

—Entonces entiende esto, Mina. Hasta que lleguemos al Paso Borgo, me perteneces y haré con mi propiedad lo que quiera. Puedes amarme u odiarme, disfrutar los azotes o detestarlos, no me importa. Haré lo que me plazca y tú vas a complacerme.

La palmeta se dirigió a mi otro glúteo, que respondió de inmediato. No podía creer la rapidez con la que el ardor se volvió insoportable, pero no podía hacer nada más que tolerarlo. Y así fue. Todo el camino hasta Barcelona.

Capítulo treinta
y cuatro

En Barcelona volví a preguntarle a Mina si quería que siguiera acompañándola o no.

Parecía que había alcanzado otro estado mental, uno místico. Reconocí ese elevado estado gracias a mi estancia en el Monasterio. De hecho, el viaje por el país vitivinicultor me recordó la visita a ese lugar y las exquisitas lecciones que recibí. El siempre presente frío metal yacía cerca de mis calientes testículos, como constante recordatorio de que el Líder me pidió que no pusiera en ridículo a la Hermandad. Tomé esa responsabilidad con mucha seriedad.

Una vez más, Mina me dejó saber que mi compañía no sería rechazada y como estaba disfrutando de mí y de los cuadros vivos que mi esposa y yo representábamos, decidí continuar.

Mina y yo abordamos un navío turco que nos llevaría a Estambul por el Mediterráneo. Hubiéramos podido hacer el viaje por tierra en el Expreso de Oriente y a la mitad de tiempo, pero este camino me parecía más interesante y tuve la sensación de que ya había estado aquí.

Resultó que el viaje fue gratificante de otra manera.

El muchacho que llevó nuestro equipaje a la cabina tiró mi bolso de viaje y la palmeta se salió. Cuando la vio, se detuvo en seco. Sus ojos en forma de almendra se abrieron completos. No hablaba su idioma, pero entendí sus gestos lo suficiente para saber que quería que lo acompañara.

Abajo, en el casco, conocí a un grupito de turcos que jugaban algo muy parecido al dominó. El joven les dijo algo. Los cuatro hombres voltearon a verme con curiosidad, asintiendo en silencio en gesto de aprobación.

Por fin, uno se levantó y sacó un paquete de debajo de su litera. Había dos objetos, uno largo y delgado, y el otro corto y ancho, ambos envueltos en una tela tipo gamuza de color claro, pero brillante. Primero desenvolvió el más largo. Era una vara de tronco de bambú como de 1.20 metros de largo. Claro que había oído de la porra y sabía cómo se usaba, pero jamás esperé toparme con una. Básicamente era un instrumento de tortura usado en prisioneros. Las plantas de los pies se azotan con suavidad durante horas, provocando que se inflamen. En cuanto la vi, supe que debía ser mía. El otro objeto, más pequeño, me era desconocido, al menos este tipo en particular. Los hombres, con complicados movimientos de las manos, explicaron su uso. También supe que debía adquirirlo.

Con una complicada traducción del dialecto árabe al fracturado francés que hablaba uno de los hombres, pude comprar los dos implementos por una considerable suma de dinero. Encantado, llevé mis premios a la cabina, para encontrarme con que Mina estaba dormida.

Yacía en la cama cuan larga es, desnuda, boca abajo, con el rojo trasero como prueba de mi habilidad y fuerza. Azotarla hoy me pareció aún más excitante que el día anterior. Me intrigaba la manera en que sus glúteos temblaban, se estremecían y movían al ritmo que yo tocaba. Esa actividad me llamaba la atención y sentí que por fin había identificado mi vocación como músico de algún tipo. Las torturas que sufrí a manos del Conde y del Líder no fueron en vano. Esos rituales de dolor habían madurado en mí y estaba listo para ocupar mi lugar entre esos dos brillantes maestros como artista por derecho propio, un artista ansioso por perfeccionar su arte.

Observé a la mujer que estaba acostada en la cama, casi toda su piel era blanca y cremosa, su trasero tan caliente como dos rábanos rojos. Su largo cabello marrón estaba esparcido en su espalda y en la almohada —al llegar a España, insistí en que en lo sucesivo lo usara suelto y dejara de peinarlo con ese estilo de solterona que a Mina le gustaba.

Cuando terminé con los azotes de hoy, Mina volteó a verme con ojos grandes, redondos, llenos de lágrimas. Lucía tan vulnerable, tan abierta. Casi toda la desesperación que inundaba su ser había desaparecido de su rostro, que ahora era relajado y suave. Hasta sus labios parecían más llenos cuando se separaban de manera abierta y receptiva. Resplandecía con una belleza que no le conocía, en parte, creo, porque no había florecido. Me obligó a enfrentar mis errores del pasado. Mi debilidad había sido su cruz, mi indulgencia y moderación eran como el muro donde se recargaba y desapareció. En lugar de apoyarla, me revelé.

Claro, el conde Drácula le dio lo que yo no pude. Hasta ahora. Y aunque había descubierto mi propia fuerza, era muy tarde. Perdería a Mina en unos días y no podía mantenerla prisionera.

Desenvolví los objetos y los metí a la maleta. Quizá en poco tiempo ya no la tendría, pero en este momento aquí estaba. Y emplearía muy bien el tiempo que quedaba.

El objeto más pequeño medía 20 centímetros y estaba hecho con la fina veta de una madera exótica. En forma de pepino inglés y casi igual de grueso, estaba compuesto por pedazos de madera intercalados con angostos huecos, como una cerca redonda. Un extremo era ovalado y el otro plano. Éste traía una llave y un aro de metal.

Los turcos me dieron correas de cuero y amarré tres al círculo.

Empujé las rodillas de Mina para que sus rojos glúteos se separaran y elevaran en el aire. Exhausta, gimió suavemente, pero no se despertó. Anudé la cuarta tira en su cintura.

Sus orificios me tenían embelesado, esa misteriosa abertura que iba de los húmedos y regordetes labios a su caliente y tensa vagina. Aunque sólo estaba viéndolos, los húmedos labios brillaban invitándome a ellos. Pronto los visitaría. La abertura también llegaba al arrugado ano, una isla rosa en un ardiente mar rojo, comprimido, virginal. Era esto lo que me costaría trabajo.

Tomé el suave tapón de madera y se lo coloqué en la abertura. Mina seguía dormida, pero de su boca escapó otro gemido y ese arrugado orificio se contrajo, como si intuyera lo que le esperaba.

Lentamente, en la siguiente hora, le introduje el pene de madera. Su ano era más angosto de lo que imaginé, pero la presión constante empujó el tapón hasta que quedó a la mitad. El proceso me pareció muy agradable y no me importó perder el tiempo. Mina gimió y gritó en sueños, pero una sonrisa se dibujó en su rostro.

Murmuró y me agaché más para escuchar mi nombre.

Pero el que pronunció fue el de Drácula.

Furioso, metí el tapón hasta adentro. Mina se despertó gritando. Estaba desorientada y mientras recuperaba el sentido, amarré con fuerza las cuerdas del aro a la que tenía en la cintura, sosteniendo el falso pene turco en su lugar.

Intentó moverse, pero no dejé que abandonara esa posición de sumisión. Metí la llave en el extremo del tapón y lo giré hasta que volvió a gritar. La belleza del instrumento es que las tiras se expanden; una maravilla de la mecánica antigua.

Le ordené que se arrodillara, enfatizando la orden con un fuerte golpe en el trasero. Se hincó muy erguida. Por su rostro me di cuenta que el tapón era incómodo, lo que me deleitó.

—¡Conque conde Drácula! —dije— ¡Pon las manos atrás! —Tal vez terminaría en sus brazos, pero no antes de que yo acabara con ella.

Hombros atrás, senos bien expuestos, pezones inflamados y ofreciéndose a mi placer. Me metí uno en la boca y lo besé hasta dejarlo firme, golpeándolo con la lengua y mordiéndolo con los dientes. El cuerpo de Mina se contrajo. Echó la cabeza hacia atrás y gimió, en parte por la estimulación de mi boca y en parte por el pene de madera que invadía su recto.

Prefería azotarla, pero sería menos satisfactorio porque estaba experimentando muchas nuevas sensaciones, además su trasero necesitaba tiempo para recuperarse. Su respuesta se incrementaría si pudiera tolerar más y que soportara más, así que yo tenía que emplear una vara limpia.

Pero no desaproveché la oportunidad. Tenía el pene duro y la senté en él. Se deslizó en mí con facilidad, su vagina estaba húmeda, caliente e inflamada. La levanté y la dejé caer en mí, sosteniéndola de la cintura, donde estaba amarrada la cuerda. Su húmeda vagina me apretó con fuerza. Su rostro enrojeció y su respiración se aceleró. Momentos después echó los brazos alrededor de mi cuello y tembló con violencia.

Hice una pausa para que recuperara el aliento y volví a empezar. Los fluidos emanaban de ella, incrementando mi lujuria, pero me controlé para provocarle otro orgasmo. Su caliente vagina estaba muerta de hambre y necesitaba alimentarse bien, mi intención era darle de comer hasta saciarla, para enmendar mis errores.

Habían pasado horas. La llevé al sexto orgasmo. Se quejaba de manera poco entusiasta.

—Jonathan, me arde mucho.

—Y te arderá más —le prometí.

—No soporto estos retorcidos placeres —protestó.

—Te limitas, Mina, pero esta noche rebasarás tus fronteras anteriores.

Así pasamos la noche, mi esposa quejándose de que no soportaría otro orgasmo y yo dándole otro, muy a su placer y desilusión.

En la mañana estaba muy lastimada, igual que yo, pero había valido la pena. Antes de dejarla dormir, le di otra vuelta a la llave.

Mientras me quedaba dormido, la sonrisa de paz que tenía su rostro me llenó de mucho amor por esa mujer a quien estaba a punto de perder. Sin tan sólo hubiera comprendido mis obligaciones antes...

Me dormí prometiéndome no vivir en el pasado.

Capítulo treinta
y cinco

Teníamos siete días de viaje, ¡y mi trasero seguía rosa por la última paliza que recibió hacía ya algunos días! Jonathan era cruel, pero no podía odiarlo por cómo me trataba pues en secreto lo ansiaba. Las palmetas, las cuerdas y la palma de su mano, no eran ninguna broma. No disfrutaba tanto el dolor como el placer que producía. Cuando los azotes y las nalgadas terminaban y la piel me ardía, me sentía bien, y era entonces cuando Jonathan me tomaba como un hombre a una mujer. En esos momentos era sumisa a él y me entregaba completa, como no lo hacía antes. El placer de esta pasión era tan exquisito, que no comprendía cómo viví sin él.

Pero la cosa que me metió en mi parte más íntima, era otra cosa. Me daba descanso en las mañanas y las tardes del viaje, pero para mi horror exigió que hiciera del baño, algo muy personal, en su presencia. Colocó un cómodo portátil en el piso e hizo que me pusiera en cuclillas, desnuda, sobre éste frente a él, mientras yo luchaba por conservar el equilibrio con los movimientos del barco. Me sentía completamente humillada y no hubiera hecho nada aunque fueran mis únicas oportunidades. Tenerlo observándome pujar cuando mis intestinos se movían y mi orina golpeaba el recipiente de metal... me daba mucha vergüenza. Y después, cuando terminaba, hacía que me acostara en sus piernas para volver a insertar el tapón. Cada vez era más largo y el tormento de su estrada mayor. La madera era muy dura e imperdonable, y por si fuera poco, Jonathan le daba vuelta a la llave para expandirlo, para mi mucha consternación. Este objeto no solo me estiraba, sino que me llenaba de una manera que me hacía sentir avergonzada del placer. Con qué propósito lo hacía, no lo sé. Jonathan se negaba a contestar mis preguntas.

Estaba sorprendida por lo diferente que se veía. Su comportamiento había cambiado, era el de un hombre que sabe lo que quiere y lo toma. Confieso que me atraía mucho y su voluntad de acero me daba un poco de miedo, de la misma manera que le temía al conde Drácula y me sentía atraída a él. Pero sospechaba que las recientes acciones de Jonathan eran un arrebato y no un estado permanente de su carácter. Creía que se trataba de una farsa y que intentaba convencerme de no ir con el Conde, pero no lo lograría. Estaba obligada y decidida a estar con Drácula, pues hombre o monstruo, sabía satisfacerme.

Llegamos Estambul en barco y teníamos que esperar a que al día siguiente llegara el tren a Budapest, para después avanzar a Bistrita. Jonathan quería montar y literalmente así fue, él en un grande caballo castrado y yo acostada a lo largo de la silla de montar, frente a él, desnuda, con el cuerpo al aire.

Este país es silvestre, los árboles se inclinaban y movían con el golpe de los vendavales de invierno, la tierra ampollada por el indomable sol de verano. Hice estas observaciones desde mi posición en el caballo mientras Jonathan azotaba la fusta en la parte posterior de mis muslos. Grueso pelo de caballo frotaba mis pezones erectos. Tenía los glúteos desnudos al cielo y mi suave clítoris rebotaba no lejos del firme trasero del caballo.

Jonathan me levantó y me sentó en su miembro. Mis calientes muslos se tallaban en su pantalón de montar. Obligó al animal a caminar, después a trotar y finalmente a galopar. El duro pene de Jonathan me penetraba al ritmo de los cascos del caballo, mientras me balanceaba felizmente. Volvió a acostarme en la silla de montar y azotó mis adoloridos muslos. Cuando regresamos al hotel donde nos hospedamos, tenía la cara bañada en lágrimas y la parte posterior de mis muslos en carne viva.

Jonathan me pidió que me acostara boca abajo en la cama. Me separó las extremidades y amarró mis brazos y piernas a ella, y aplicó el látigo en la delicada piel del interior de mis muslos, que nunca antes habían sido azotados. Grité y lloré de dolor, suplicándole que se detuviera, pero como siempre, terminó cuando estuvo satisfecho. Parecía conocer mis límites mejor que yo porque cuando creía que no soportaría más, me sorprendía que sí podía.

Subió por mi cuerpo, su muy duro miembro atravesó mi palpitante ser por atrás. Sus penetraciones eran largas, sólidas, continuas, y deslizaban el terrible tapón hacia el interior de mi recto, provocando que el placer mezclado con dolor me inundara. Una vez más, me llevaba a un estado deliciosamente vulnerable donde ya no reconocía la diferencia. Mi húmedo orificio femenino le dio la bienvenida e hizo que la visita valiera la pena.

Más tarde, cuando Jonathan volvió a preguntarme si seguía acompañándome, le contesté: "Por supuesto". Después de todo, casi llegábamos a mi destino.

Empecé a sentirme nerviosa cuando viajamos de Budapest a Bistrita, pues ésta era la última parte de mi viaje. El acuerdo era que Jonathan me dejaría en el Paso Borgo y yo viajaría sola en carreta al castillo Drácula.

Capítulo treinta y seis

—¿Cuándo llegaremos? —me preguntó Mina.
Consulté mi reloj de bolsillo.

—En seis horas aproximadamente. Supongo que es hora de darte el regalo de despedida.

Por supuesto, Mina no tenía idea de qué estaba hablando.

—Desvístete y ponte de rodillas sobre el asiento.

—Jonathan, este espacio no es muy privado.

Tenía razón, este tren no era como los europeos. La cabina era toda para nosotros, pero la puerta no tenía cerradura y la gente constantemente la abría, cuando se daba cuenta del error se iba. Sabía que para Mina era inconcebible la idea de quedar desnuda ante los ojos de un extraño, cuando menos en circunstancias normales.

Por su reacción, imaginé que mi mirada expresó peligro. Se desvistió de mala gana. Yo me encargaría de que la acción se realizara en contra de su voluntad si era necesario, y en serio, eso pensaba. No le hubiera gustado la manera en que se habría hecho. Hizo lo que le ordené, se quitó la falda y la chaqueta de viaje, las largas enaguas, los zapatos y las medias. Ya no usaba corsé ni prenda íntima, se lo prohibí. Me cuenta que le hubiera gustado quitarse el horrible objeto que tenía clavado en el recto, pero no podía, sólo yo podía hacerlo y no tenía la intención de sacárselo todavía.

Se arrodilló en el asiento, con su casi sanado trasero expuesto frente a mí. La imagen de la piel ligeramente rosa me provocó una erección. Había valido la pena la espera.

—Tengo algo especial para ti, Mina —le dije.

—Sé que vas a azotarme —replicó con la voz llena de terror y deseo— ¿Qué más puedo esperar en esta posición? Por fortuna, no será por más de seis horas.

Sabía que eso la hizo sentir que tenía el control. Me proponía cambiar ese agradable y confiado sentimiento.

Una rápida mirada hacia atrás hizo que siguiera adelante con mi objetivo. Le enseñé la delgada caña de bambú, la mitad para ser preciso, porque estaba doblada. Estaba seguro de que a Mina no la habían azotado con una vara. Sospeché que eso creyó que se trataba de eso porque era delgada y no tendría el impacto de un objeto más grueso. Me di cuenta que se sentía más segura, el tren se detendría con frecuencia, lo que le daría descanso.

Me paré atrás de ella y estrellé la vara más o menos flexible en su trasero. Era un látigo muy ligero. Apenas pronunció palabra. Sin embargo, volvió a ver hacia atrás y por su mirada de desprecio sentí que pensó que había perdido la razón.

Estaba resuelta a dejarme y esa actitud sacó al monstruo que llevo dentro.

Pero en la siguiente hora, conforme la vara golpeaba de manera delicada su trasero, se dio cuenta que estaba equivocada. El tren hizo paradas en las estaciones del camino, pero yo no. Todos oían sus gritos, pero no me importó. Mi ligero látigo se había vuelto terriblemente doloroso para ella. Se estremecía y gritaba.

—¡No entiendo cómo tan tierna vara produce tanto dolor!

Estaba fuera de sí de la agonía, lo que me pareció muy placentero.

—Te quedan cinco horas de sufrimiento en mis manos —le informé—, y me encargaré de que las recibas completas, puedes estar segura.

La puerta de la cabina se abrió y un hombre mayor y su esposa vieron hacia adentro. Sabía que a Mina le daría vergüenza que la azotara frente a estos desconocidos. El dolor hizo que los largos músculos de su trasero se contrajeran alrededor del horrible pene falso. Seguí aplicando la vara. El hombre y la mujer se quedaron parados en la puerta y observaron largo rato. La humillación de que un extraño observara que la azotaban despiadadamente añadió más lágrimas a las que seguían saliendo de los ojos de Mina.

El bambú no le dejaba espacio para moverse. No podía evitarlo y tampoco lo soportaba. Aulló su desgracia conforme pasaron las horas, el suave látigo le ampolló el trasero, lo inflamó y lo tiñó de morado. El acto de azotarla continuamente hizo que la erección de mi pene llegara a alturas nunca antes alcanzadas, hasta que los testículos me dolieron a causa del semen que necesitaba expulsar. Pero aún así seguí. Sus súplicas no tenían efecto en mí. Ya no intentó esquivar los golpes, pues aprendió que al hacerlo se volvían peores.

Por último, cuando estuvimos a una hora del Paso Borgo, bajé el bambú. Su trasero sacaba vapor por lo maltratado. El cuerpo le temblaba sin control. Sabía que nunca la habían castigado así y esperé que jamás volviera a suceder.

CAPÍTULO TREINTA
Y SIETE

Fue un castigo, a pesar de lo que dijo Jonathan. Estaba enojado conmigo porque iba a dejarlo y quiso dejármelo muy en claro.

Cortó las correas que sujetaban al tapón en su lugar y me quitó el tan incómodo objeto. El alivio duró poco.

Al principio pensé que lo había reemplazado con un instrumento mucho más largo, pero lo que penetró mi ano era de carne y estaba caliente. Su pene me atravesó y con su longitud llenó mi recto. Sentí que me partía por la mitad.

Entraba y salía, ensanchándome, frotando lugares de mi interior que irradiaban hedonista placer por mi recto. Mi vagina se contrajo y tuve un orgasmo espontáneo. Apenas soportaba el placer de que me tomara de esta manera. Sin pudor, empujé mi adolorido trasero hacia él, suplicándole que su penetración fuera más profunda y más fuerte, que me invadiera toda. Oí que la puerta se abrió y sabía que alguien estaba observando, pero ya no podía controlarme. El pene de mi esposo era mi dueño y me lo demostró en términos muy claros. No podía hacer nada más que seguir mis incontenibles deseos y someterme ansiosa a él.

Cuando llegamos al Paso Borgo, mis emociones eran un abanico y tenía la clara impresión de que pasaba algo, pero no identifiqué qué. El tren se alejó de la estación y Jonathan y yo nos quedamos solos en la plataforma. Cerca de allí me esperaba un carro rentado, que me llevaría a mi destino final donde quedaría sellado mi destino.

Jonathan estaba parado ante mí, alto, delgado, guapo, con mirada seria y penetrante.

—Vas a rogarme que me quede —le dije.

—En lo absoluto —respondió. Me entregó una suma grande de dinero—. Aquí tienes tu herencia —me dijo—, te deseo lo mejor.

No comprendía su reacción y se lo hice saber.

Me vio con una mirada potente y tranquila.

—Mina, la decisión es tuya. Si te quedas conmigo, ya sabes cómo será tu vida. Recibirás más de lo mismo. Mucho más.

Sus palabras me provocaron escalofrío. Una vida de dolor y de placer con un hombre de carne y hueso, comparada con ser miembro de un harén, atrapada en el hechizo de un monstruo cruel que debe dividir su tiempo entre los muchos que piden su atención. Podría arrepentirme de tomar cualquier decisión.

El tren llegó a la vía opuesta, esperando arrebatarme a Jonathan para siempre. Tomó su maleta, en la que iban los objetos de placer, me tomó por la nuca y me jaló hacia sí. Me besó en los labios, su lengua se deslizó en mi boca, llenándome, produciendo olas de placer que me recorrieron. Mis ardientes vagina y recto se contrajeron, mi trasero punzaba por el calor líquido que su mano infligía.

Estaba abordando el tren cuando corrí hacia él.

—Jonathan, te quiero a ti.

Volteó a verme. El tren empezó a moverse y tuve que correr para alcanzarlo.

—Si vienes conmigo, Mina, te quedas conmigo, te sometes a mí y lo haces por voluntad propia. Como tu Amo, tengo derecho a grabar mi propiedad en ti todos los días, y lo haré. ¿Puedes vivir esa vida, Mina?

—¡Encantada! —le respondí.

El tren avanzó más rápido y Jonathan se inclinó para tomarme por la cintura, trepándome sobre los escalones. Mi falda se subió y deslizó las manos bajo ella, sujetando con firmeza mi desnudo y apaleado trasero como mi amo y señor. Volteé a ver sus claros ojos, llenos de promesas oscuras, y sentí que le pertenecía por completo, nada más a él.

Vi que mi equipaje, aún en la plataforma, desaparecía de la vista. Una maleta llena de símbolos de la opaca mujer que fui y que ya no era. En silencio, me despedí del conde Drácula. Fuera lo que fuera, me abrió a mis oscuras pasiones.

Mi amante demonio me vio a los ojos y puso algo en mi mano. Bajé la mirada. Era un aro como el que él tenía en los genitales. Asentí con la cabeza, a sabiendas de que muy, muy pronto estaría usando ese íntimo regalo. También supe que había tomado la decisión correcta.

PARTE 7:

EL DESTINO

CAPÍTULO TREINTA
Y OCHO

Quincey Morris observó la enorme fortaleza incrustada en la ladera de la montaña. Las piernas le temblaban. Este castillo, o lo que quedaba de él, se había fundido con las duras rocas a través de los siglos. Lo que sucedía en el interior de sus desmoronadizos muros sin duda reflejaba una mentalidad tan antigua y severa como el mismo paisaje. ¡Esto no era Texas!

El enorme puente levadizo estaba abajo, como si esperaran su llegada. Cuando los cuatro hombres entraron al patio, desmontaron de inmediato. Van Helsing amarró las riendas de su caballo a un poste de hierro, y los demás siguieron su ejemplo.

El porqué del viaje de Quincey hasta acá rebasaba su comprensión. Lo que comenzó como un simple viaje de negocios a Inglaterra, se convirtió en una aventura que podría llevarlo a su destrucción. En Texas no había experimentado nada como las travesuras de la juguetona señorita Westenra. Nada más eso, habría sido suficiente diversión para cualquier hombre en el mundo. Pero lo que sucedió después lo tenía "perplejo", como diría el buen Dr. Steward. Nunca había presenciado aventuras como ésas, ni siquiera en el burdel de Austin que visitaba con frecuencia. Para su sorpresa y placer, nunca se había degradado a tal grado —jamás pensó que tuviera las agallas. Y ahora aquí estaba, siguiendo al profesor Van Helsing a este páramo en una región remota en la que, por su apariencia, muy poca gente civilizada había puesto un pie.

Vio cómo el profesor reunía el equipo. Era claro que el hombre estaba obsesionado con Lucy. Y aunque Quincey se había divertido mucho en sus fiestas, ella no era la razón por la que había atravesado medio mundo. Siendo sincero, sabía que lo fascinaba el enigmático conde Drácula.

Van Helsing subió los escalones del castillo como si ya hubiera estado antes ahí y fuera bienvenido. No tocó, sino que oprimió el pestillo. La puerta se abrió. Quizá los esperaban.

Los llevó a un enorme recibidor que se elevaba tan alto en la penumbra, que Quincey no veía el techo. El lugar era frío y sucio, muchas telarañas colgaban de los pilares, en el pasamanos, en la tapicería, en los retratos y en el escudo de armas que adornaban las paredes.

Había habitaciones en varios ángulos y el profesor detuvo la procesión.

—Tenemos una hora para encontrarla —dijo— pues cuando el sol se meta tendremos a Drácula encima de nosotros, de eso pueden estar seguros. Somos los ratones y ésta su trampa, así que tiene fácil acceso.

A Quincey le pareció imposible la tarea. Los cuatro no serían suficientes para cubrir tan grande territorio en tan poco tiempo. Y había mayores preocupaciones.

—No es buena idea que nos separemos —señaló.

Van Helsing se dio la vuelta. Su bastón de metal se estrelló en el rostro de Quincey.

—Señor Morris, si no es hombre suficiente para buscar de manera lógica, tendré que amarrarlo afuera con los caballos.

Quincey se sorprendió. El agudo escozor estuvo seguido por un fuerte ardor en la piel. Se llevó los dedos a la mejilla —el pedazo ya se había inflamado. Se sintió humillado frente a los otros hombres, algo que no toleraría en su país.

—Usted, señor Morris, irá al piso superior, John al inferior siguiente y Arthur al inmediato. Yo buscaré en estas habitaciones, aunque sospecho que ningún muerto vivo reside en este nivel. También voy a examinar abajo, donde debe estar localizada la cripta. ¿Todos tienen su equipo?

Cada uno de los hombres traía una mochila.

Quincey, John y Arthur subieron las escaleras. Una vez que dejaron a este último en el sucio segundo piso y subieron al tercero, John dijo:

—Es una vara maldita, ¿no es cierto?

—Ni me lo repitas —aceptó Quincey, sintiendo que su piel gritaba con cada paso. Y aunque seguía doliéndole la mejilla, la mano del Profesor no era lo que parecía en una manera fundamental. Quincey pensó en el otro hombre, ése cuya vara le faltaba experimentar—. Es impresionante.

—¿Quién? ¿Drácula?

John y Quincey voltearon a verse, sorprendidos. Era obvio que habían pensado lo mismo.

—No he conocido a alguien como él.

—El Conde me hace sentir como un universitario —confesó John— que ansía su placer o su desagrado.

Quincey dejó a John en el tercer piso y subió al último nivel, o al que creyó que lo era. Se paseó por muchas habitaciones con viejos y toscos muebles de madera, oscuras y asfixiantes, aunque esta atmósfera le producía fascinación. Aquí las cosas eran sólidas y permanentes, a diferencia de Estados Unidos. No sólo las montañas eternas, sino el castillo también había estado así por siglos y seguiría estándolo indefinidamente. Quincey y su insignificante carácter nunca cambiarían ese hecho.

Cuando revisó todas las habitaciones de esta área e iba empezar con la sección oeste, a través de las ventanas de vidrio cortado vio que el sol caía en el horizonte. De repente, a su izquierda escuchó un ruido. Volvió a entrar a la habitación que ya había inspeccionado y descubrió una puerta que había pasado por alto. La abrió. Angostos escalones de mármol negro subían. Estaban en espiral y el descanso de la escalera era aún más estrecho. Al final, llegó a otra puerta, que estaba cerrada con llave.

La puerta no se movió. Bajó su mochila. Aunque estaba muy oscuro, con las manos buscó rápidamente una llave en las paredes y en la parte superior del marco de la puerta. En el interior escuchó un sonido, como gemidos. Se asomó por el ojo de la cerradura.

Cientos de velas de cera amarillas iluminaban la habitación. Lucy pendía de un aparato en forma de X gigante. Tenía las muñecas amarradas a los postes superiores y los tobillos a los inferiores. Frescas huellas de latigazos marcaban su pecho blanco como una azucena. Pero su rostro se veía exquisito, era obvio que la agonía sufrida resaltaba su belleza.

Se paralizó cuando vio que sus senos temblaban. Nunca la había visto tan intensa, tan viva, aunque era claro que se había transformado. Además del tono de la piel, dos puntiagudos dientes que se asomaban por su labio inferior, lo alertaron sobre el peculiar estado postmuerte.

De repente Quincey, que seguía inclinado, sintió que una mano subía lentamente por el interior de su muslo. La mano llegó a sus testículos y se detuvo. Quincey se congeló. Los acarició y él tembló. La mano empezó a apretarlos y el estadounidense gritó.

Capítulo treinta
y nueve

John escuchó gritar a Quincey y subió corriendo al último piso.

—¿En qué dirección? —se preguntó en voz alta.

El médico buscó en todas las habitaciones de esta área. Por fin, se topó con una puerta que daba hacia arriba. Por la escalera le gritó a Arthur que lo acompañara y, sin esperar su respuesta, ascendió solo los angostos escalones. Al final de la oscura escalera de caracol se encontró con una impresionante belleza, de una de ésas con las que nunca se había tropezado.

La muchacha, que no tenía más de veinte años, estaba de pie con las manos en las caderas, los pechos señalándolo, visibles a través de un ligero y vaporoso vestido que revelaba tentadoras curvas. Un látigo de cuero sin curtir colgaba alrededor de su cuello. Inclinó la cabeza de manera insolente y se quitó la roja cabellera de la cara. John sintió movimiento en la entrepierna.

—¡John! —Quincey lo llamó al otro lado de la habitación. Estaba fijo a un cepo, inclinado, su cabeza y muñecas salían por los agujeros, y tenía los tobillos atrapados en otro cepo a sus pies. Junto a él, Lucy estaba colgada de la cruz de San Andrés, con el pecho casi desollado.

—Conocí a un inglés —dijo la joven—, me pareció endeble y débil, no estaba familiarizado con mi látigo, como la nueva esposa de Drácula. ¿Ese defecto corre por la sangre de tu nación? —La voz de la muchacha era profunda y ronca, con un tono de campesina que a John le pareció incitante. Echó los hombros hacia atrás y sacó el pecho como orgulloso patriota.

Ella le extendió la mano y le sonrió seductoramente.

—Ven.

—¡No! —gritó Quincey—. Estamos aquí para rescatar a Lucy. ¡Usa tus armas! —John recordó la maleta, de la que sacó una filosa daga y un pesado mazo.

La joven siseó la lengua como una serpiente. Sus enormes dientes brillaron con las velas y sus verdes iris temblaron con una luz de otro mundo.

De repente, atrás de él, aparecieron dos bellezas más, una regordeta y la otra delgada, ambas de cabello oscuro. Cada una le tomó un brazo y lo metieron a la habitación.

Ahora que estaba adentro, John entendió el verdadero propósito de esta torre —era un reino de tortura. Colgados en la pared había toda clase de instrumentos e implementos de castigo, la mayoría antiguos.

Las mujeres lo aventaron a una silla que parecía pesada. John se resistió de una manera que habría causado que una silla común y corriente se cayera, ésta se quedó anclada al suelo de piedra. El respaldo era de oscura y pesada madera, el asiento de metal. Las tres mujeres le arrancaron la ropa del cuerpo, como chacales destrozando la carne de la presa que se devorarían. La joven delgada y la bruja regordeta le amarraron con fuerza las muñecas y los tobillos, mientras la pelirroja le atrapó el cuello con una banda de cuero negro, como el collar que usan los sabuesos. Todo esto lo obligó a sentarse erguido.

La joven de cabello rojo se dirigió a Quincey y usó un puñal para cortarle el pantalón y la camisa, dejándolo sólo con las botas, igual que a John.

—Puedes llamarme Magda —dijo— primera esposa del conde Drácula —deslizó una mano sobre la marca que Quincey tenía en el rostro—. ¿Quién te hizo esto?

—El profesor Van Helsing.

—¡Oh! —Eso pareció intrigarla—. Impresionante. Se requiere gran destreza para lastimar la piel con esa precisión. Los holandeses saben tratarla, ¿verdad?

—¡Voy a lastimar la tuya si no liberas a estos hombres de inmediato! —El Profesor y Arthur estaban parados en la puerta, este último con una estaca y un mazo en la mano, y el primero con un crucifijo ante él.

Magda los vio, los ojos le brillaron y una coqueta sonrisa se dibujó en su rostro.

—Un hombre con su talento desperdicia el tiempo con mortales. Yo pensaría que no presentan retos, o al menos no para rebasar sus propios límites.

—Quizá, jovencita, pueda explotar esos límites en tu piel en algún otro momento. Aunque por ahora soy inmune a los seductores trucos de los muertos vivos. Libera a los tres de inmediato.

Nadie se movió. A través del opaco vidrio de la única ventana, John se percató de que el cielo oscureció considerablemente, como si se hubiera tragado la última espiral de luz. Van Helsing también se dio cuenta.

—Mi Amo no tarda en llegar —informó Magda— pues es a él a quien vino a visitar, ¿no es cierto?

—¡Basta! —dijo el Profesor. Le hizo una seña con la cabeza a Arthur, que se dirigió a Lucy y la desató.

Los ojos de Lucy reflejaban una seducción carmesí y su boca carmín esbozó una voluptuosa sonrisa, dejando al descubierto los puntiagudos dientes blancos. Primero volteó a ver a Magda, que asintió, y después abrió los brazos y sacudió los senos en su dirección.

—Arthur, mi amor. Tengo sed de ti. Ven a mí.

Arthur quedó cautivado. John lo vio dirigirse a esos pálidos brazos.

De repente, la cruz de Van Helsing se interpuso entre ellos.

Arthur recobró el sentido.

—Ese espectáculo no es digno de un hombre de ciencia —el conde Drácula estaba parado en la entrada de la habitación. Cerró la enorme puerta de madera y le puso llave, que se echó al bolsillo.

John contuvo el aliento cuando la imponente figura avanzó, con la larga capa oscura volando atrás de él.

Arrancó el látigo del cuello de Magda y lo hizo sonar en el aire. El alarmante sonido reverberó en toda la habitación, provocando una palpable tensión. El cuerpo de John tembló y empezó a sudar.

—Quizá soy el más dramático —dijo Drácula, dirigiéndose directamente a Van Helsing que, de manera sorprendente, no cedió terreno. La cruz ayudó. Drácula miró a Arthur. John veía perfecto los ojos de su amigo. Los párpados se ensancharon y después se volvieron estrechos, igual que las pupilas. La más breve lucha de voluntades tuvo lugar antes de que Arthur sucumbiera.

—¡Quítasela! —ordenó Drácula.

Arthur, hipnotizado, le arrancó la cruz a Van Helsing de las manos y la rompió, creando dos inofensivas piezas de madera. Esto le permitió al Conde acercarse más, y lo hizo.

Se detuvo sólo cuando quedó frente al holandés de baja estatura. Van Helsing no expresaba miedo, como si poseyera un conocimiento que el conde Drácula no.

Drácula acercó la mano y le tocó las mejillas, como si acariciara a una mujer. Con las manos agarró la nuca de Van Helsing y jaló su rostro hacia sí. John no creía lo que veían sus ojos. ¡El vampiro estaba a punto de besar al Profesor!

Pero de repente, Drácula retrocedió en la habitación.

—¡Ya veo! —gritó— Eso no te protegerá mucho tiempo. Cuando transpires, las gotas que salgan de tus poros eliminarán los efectos del agua que con tanto esfuerzo consumiste.

A John se le ocurrió que se trataba del agua bendita. Van Helsing insistió en el camino en que se detuvieran a llenar sus botellas de agua en una catedral, aunque él fue el único que bebió.

Pero Drácula no sería vencido. Con una mirada, le dio órdenes a Magda, quien llamó a las dos bellezas de cabello oscuro y a Lucy. Agarraron a Arthur y lo amarraron, después lo pusieron en una picota. Lo ataron de frente a éste, dejando expuestos su espalda, sus brazos abiertos y pies juntos. La mujer delgada le metió el pene en un agujero que había en la barra donde la madera era más delgada, y después le amarró la cintura, dejándolo atrapado.

—Los perdiste antes de empezar —le dijo el Conde a Van Helsing—. Estos hombres son míos, o lo serán, igual que tú. Y cuando te tome, Profesor, gritarás de agonía y dicha absoluta, rogándome que te use como quiera. Y lo haré.

Van Helsing se recargó en una pared, observando el espectáculo que ofrecía la habitación. A los ojos de John seguía viéndose orgulloso, todavía no estaba listo para hincarse ante este Amo superior. Pero las tropas del Profesor estaban incapacitadas. Las cuatro bellezas no pertenecían a esta tierra, o quizá lo eran demasiado, incluyendo a su amada Lucy. Y entonces, allí estaba el Conde, exudando poder y dominio en cada movimiento. Por qué, se preguntó John, el profesor no luchó por escapar mientras pudo. El caso se veía perdido. John se resignó a su destino, a lo delicioso que pudiera ser, y pronto lo supo.

—Mis bellezas —empezó el Conde—, están aburridas y yo inventé un juego para que se diviertan. Vengan.

Sostuvo una conferencia privada con cada una, que duró sólo unos segundos, excepto con Magda, quien discutió su situación acaloradamente. Al final, Drácula asintió y ella se veía satisfecha.

Como era la mayor, Magda eligió primero. Se decidió por Van Helsing, pues era obvio que la fascinó. La joven más delgada escogió a Quincey y la regordeta a Arthur. Lucy se quedó con John. Sintió que olas de envidia recorrían el aire hacia él, la más intensa provenía del mismo Van Helsing.

Drácula, como maestro de ceremonias, se paró en el centro de la habitación e hizo sonar en el aire su látigo de tres metros media docena de veces. El sonido se clavaba en el oído y parecía que cortaba el aire en dos. John sabía bien que la punta de ese látigo podía hacerle lo mismo a su piel, en la mano adecuada.

John vio que la joven delgada se agachó hacia el falo de Arthur. Incitó al atrapado pedazo de carne usando los labios, de manera que el amiguito rápido alcanzó una altura total. Estiró las manos por atrás del poste para agarrarle el trasero, masajearlo, enterrándole largas uñas en los gruesos músculos, provocando sensaciones que recorrían a Arthur, excitando a John. Poco a poco, movió las manos hacia adentro hasta que logró separarle los glúteos; con una mano le apresó los testículos y le metió en el ano un dedo de la otra. John veía a Arthur de lado. Su amigo inhalaba y exhalaba rápido, sin poder contenerse. La muchacha delgada bebió sus fluidos, Arthur gritó cuando los escupió en la boca de la joven.

—John, mi amor —Lucy atrapó su atención.

Se inclinó hacia él, su sedoso cabello rubio le caía en la cara. De manera impresionante, las heridas que tenían en el cuerpo estaban casi sanadas, y a John le hubiera gustado estudiar esa curiosidad médica. Lucy le metió los pies en un par de pesadas botas de metal y le dio vuelta a las manivelas laterales. Las botas se hundieron hasta que sintió que los huesos estaban a punto de romperse. Un gemido escapó de su boca, y en ese momento se detuvo.

—¡Lucy, te volviste diabólica! —dijo jadeando.

Le enseñó los puntiagudos colmillos y el doctor se marchitó ante ellos.

Pero su miedo no derrotaría a Lucy. Colocó un aro de metal dividido en tres secciones en sus testículos y caído pene, levantando sus genitales, separando los testículos y obligando a éstos y al falo a que se elevaran. Después le acarició el miembro con la mano hasta que se puso erecto. La sensación no era desagradable y rápidamente se volvió rígido.

Después, en la cabeza le puso un sombrero de metal con tornillos alrededor, los cuales giró hasta que la presión en el cerebro fue intensa.

—¡Por el amor de Dios, Lucy, detente! ¿Dónde aprendiste estos juegos?

—John, siempre te han encantado mis juegos.

—Antes eran simples.

—Quizá demasiado sencillos —dijo enigmáticamente.

Luego le colocó una venda en los ojos y una pelota de cuero en la boca, sostenida con cuerdas que le amarró en la nuca. Las manos del doctor quedaron atrapadas en más metal frío, otra vez apretado hasta que gritó. Bandas metálicas le cruzaban el pecho, al nivel del estómago, los muslos y las pantorrillas. Por abajo, le tomó los glúteos y los separó para que el ano quedara expuesto sobre el asiento de metal, después apretó todas las ataduras.

Justo antes de que Lucy le echara cera derretida en las orejas, escuchó un grito. Arthur ya no era receptor de placer, cuando menos por como John interpretó el sonido.

John no veía, no oía y no podría gritar. Muchas partes de su cuerpo sentían intensa presión. Nunca lo habían inmovilizado de manera tan completa y aunque tenía miedo, era sumamente excitante. Nunca antes había necesitado ataduras. Se había ofrecido al castigo por voluntad propia, a Lucy, al Profesor, y había aceptado todo lo que le daban. Pero preso como estaba, su interior conoció nuevos niveles de terror. No podía evitar lo que Lucy decidiera hacerle. Recordó su cabeza enmascarada en Carfax, y sus brazos atrapados. Quedó alejada por completo de lo que sucedía en el mundo, mientras la pequeña porción expuesta de su trasero recibía más que su dosis de atención. El recuerdo lo hizo temblar de placer y miedo.

Así como estaba, amarrado a la silla, lo empujaron a hacer una introspección. El total silencio, excepto por su respiración y los fuertes latidos de su corazón, le dejó tiempo para reflexionar quién era y qué quería realmente. Ante sus ojos mentales aparecieron rostros, pensamientos de placeres recibidos y tomados, y arrepentimiento por aquellos que dejó escapar, en especial con Mina Harker.

Dedos tocaron sus pezones. Este contacto de piel con piel le envió una ola de sensación por las venas, como lava que fluye hacia la falda de un volcán. Los pezones respondieron poniéndose firmes bajo los fríos dedos que los pellizcaron. Su corazón latía más rápido. De repente, desaparecieron los dedos que lo controlaban. El aire en los sensibles pezones le produjo más deseos, que le recorrieron su inflamado pene.

El dolor exploraba su piel. Hielo duro se estrelló en ambos pezones ardientes. Si no hubiera estado tan completamente sujetado, habría saltado hasta el techo. Sólo sus oídos escucharon el berrido de dolor. Su respiración se acortó, convirtiéndose en jadeos, cuando el punzante dolor que salió de sus pezones le invadió el cuerpo. Pasó mucho tiempo para que las sensaciones se volvieran soportables.

Dedos jugaban con su pene y sus testículos. La tensión que allí sentía iba más allá de lo tolerable. Quería eyacular, pero el metal que apresaba los genitales en su lugar no dejó escapar los fluidos de su interior.

Lágrimas le bañaban el rostro. Lucy era un monstruo y él estaba a su merced. Ni siquiera podía suplicar, sólo sufrir lo que ella le infligía. Pero las caricias en el pene lo calmaron. Sus manos viajaron al interior de los muslos, por el pecho, los hombros y el cuello, relajándolo, ayudándolo a hundirse en ese sentimiento que lo hacía flotar y al que llegó de manera inadvertida. Es como si estuviera dormido, aunque estaba despierto. Se sentía en paz, cada centímetro de su piel en sintonía con los placeres y torturas que ella le provocaba. A pesar de que no entendía por qué, confiaba en que Lucy entendiera sus necesidades.

Sus caricias volvieron a elevarlo, su piel tenía hambre de más. El dolor de los testículos era placentero. ¡Cómo ansiaba que esa sensación durara para siempre!

Se sintió tibio. Flexible. Maleable en sus manos.

Abandonado otra vez con sus propios recursos, viajó por esta corriente de euforia. Después el calor aumentó y se ubicó en un solo lugar.

John se percató de que se centraba en su trasero y en su ano, que estaba totalmente oprimido al asiento. Asiento que recordó era de metal.

Asiento que se dio cuenta estaba calentándose.

Capítulo cuarenta

Quincey observó a Lucy crear una llama en el interior del pequeño caldero de hierro y colocarlo bajo la silla de John. La joven, que ahora portaba un vestido verde de terciopelo con un amplio escote, se acercó a la muchacha regordeta y la jaló. Su encuentro fue una interacción física y verbal, con muchos abrazos, besos y caricias de los cuerpos mutuos. Por las miradas dirigidas en su dirección, sabía que él era el tema de la conversación.

La joven regordeta se rio burlonamente y asintió. De inmediato, invirtieron los cepos a los que estaba atorado, de manera que su cintura siguió inclinada, pero con la vista al techo. Liberaron sus tobillos, por lo que se sintió agradecido, le estiraron las piernas y luego se las ataron a la madera que había a sus pies. Esto le provocó una gran tensión en la espalda baja, aliviada conforme jalaban las cuerdas hacia delante y hacia atrás, creando una hamaca como apoyo. Lo dejaron solo unos momentos y recorrió la habitación con la vista.

El asiento debió calentarse rápido. John se retorcía en la medida que las ataduras se lo permitían. La joven delgada seguía provocándole erecciones con la boca a Arthur, por tercera vez. La expresión de su rostro reflejaba una fina mezcla de placer y dolor, y Quincey se preguntaba cuánto más soportaría un hombre en tan buena forma como Arthur. Esperaba que ambos lo averiguaran esa noche.

El Profesor estaba pegado a una pared hablando con Magda. Nada más conversando. *Eso sí es extraño,* pensó Quincey. Volteó la cabeza para ver al conde Drácula, que descansaba en una silla en el centro de la torre, el Señor Oscuro de todo lo que contemplaba.

Drácula lo observaba. Muy de cerca. El pene de Quincey se levantó en alerta ante esa oscura mirada demandante, y recordó con agrado cuando lamió la mugre de las botas del Conde en el manicomio.

Cuando Lucy y la joven regordeta regresaron, aquélla quitó primero el caldero que estaba debajo de la silla en la que el retorcido John estaba atrapado.

Quincey sabía que el metal no se enfriaría rápido.

Trajeron con ellas muchos artículos. El primero que vio fue el filoso puñal con una hoja de 12 centímetros que cortó las ropas de Arthur. La muchacha que eligió a Quincey lo colocó sobre sus genitales.

—Señoritas, sean razonables... —dijo con desesperación.

—Quincey —lo reprendió Lucy—, ustedes los estadounidenses son sobreprotectores con su virilidad, como si lo único que las mujeres pensáramos fuera en destruir lo que nos da placer. Tranquilo. Yo lo agarro —le dijo a la otra muchacha.

La joven regordeta frotó algo húmedo en su pene y este pobre amigo tuvo una buena erección a pesar del terror. Quincey se sintió humillado cuando las lágrimas le bañaron el rostro. A través de la borrosa visión, vio que el conde Drácula seguía observándolo con atención, en espera, sin duda, de que la sangre fluyera.

En segundos, le enjabonaron los vellos de la entrepierna y el estómago. Lucy le agarró las caderas para calmar el temblor. La hoja del puñal, tan filosa como cualquier rastrillo, rozó lentamente su piel. La muchacha regordeta le afeitó primero los testículos, la parte inferior, la superior, y toda la delicada y arrugada piel, después retiró los vellos de la abertura cercana a la vulnerable área alrededor del ano. Vertieron ardiente cera de vela en los hirsutos vellos oscuros del estómago, pecho, hombros, espalda, brazos y piernas. Cuando la arrancaron, con ella también salieron los vellos, dolorosamente. La regordeta le enjabonó la cara y le quitó el bigote, las patillas y la barba que estaba saliendo. A excepción del cabello, todo su cuerpo quedó sin un pelo.

Se sintió expuesto, nada entre él y el aire. La corriente que había en la habitación le enfrió el cuerpo y le erizó la piel. Pensó que así debían sentirse las mujeres, sensuales, eróticas, abiertas, sin barreras al placer y al dolor. El sentimiento no le era desconocido. En lo absoluto. Por ese motivo no se resistió demasiado.

Un gemido le obligó a voltear la vista a la izquierda. Arthur volvió a gritar y por el número de gritos, Quincey dedujo que le estaba chupando el pene por sexta vez. La angustia y el éxtasis arrugaban las facciones aristócratas de Arthur. Le temblaban los labios y ponía los ojos en blanco, como si estuviera soñando. La belleza delgada de cabello oscuro se puso de pie. Tomó algo que parecía una aguja de coser. Quincey observó embelesado cómo le traspasó el pezón a Arthur, de izquierda a derecha, quien echó la cabeza hacia atrás y aulló.

A la izquierda de Quincey, Lucy avivó los carbones del caldero y volvió a colocarlo debajo de la silla de John. Éste estaba sentado erguido, amarrado, con los sentidos clausurados.

Los más curiosos eran Magda y Van Helsing, que seguían conversando. Y el conde Drácula, emperador supremo de todo lo que contemplaba, observaba todo.

Lucy y la joven regordeta volvieron a darse un beso largo y profundo, acariciándose los senos mutuamente. Después, desamarraron las piernas de Quincey y le quitaron los cepos del cuello y las muñecas. Una vez que lo pusieron de pie, le colocaron un corsé de mujer a medio cuerpo.

—Lucy, en serio, esto es una atrocidad...

—Silencio, señorita, o su trasero conocerá mi palmeta.

Los ojos del conde Drácula se fijaron en los de Quincey, y éste cerró la boca, pues no tenía la intención de sufrir la humillación de ser azotado en la presencia del monstruo. Las ballenas oprimiéndole el área del estómago le provocaron una nueva sensación. Siempre le había gustado ver a las mujeres en corsé y de vez en cuando se preguntaba cómo se sentiría esa prenda. Ahora lo sabía. Era maravilloso.

Jalaron las cuerdas hasta que su trasero sobresalió y sus músculos pectorales se asomaron en la parte superior de la prenda, como senos. ¡Y vaya que lo apretaron mucho en la cintura! Increíblemente, parecía un reloj de arena.

Las mujeres lo hicieron girar hasta que quedaron satisfechas con su trabajo. Volvieron a abrazarse. Sus caderas y pezones se tocaron, y sus labios se conectaron. Con la boca abierta, las dos jóvenes tocaron sus lenguas, como dos serpientes besándose, y le pareció erótico.

Después fue el turno de la elegante prenda íntima, la seda era suave y agradable al contacto con su nueva y expuesta piel. Cuando la habían subido a la mitad, Lucy dijo:

—Tengo una idea.

Salió de la habitación, pero regresó casi de inmediato. En la mano traía un objeto contrario al caparazón oculto en los pantalones de montar. Le pegó el triangular escudo de metal en el área de la ingle, hizo el pene y los testículos hacia atrás y los metió abajo del artefacto, de manera que parecía que habían desaparecido, o al menos ya no estaban enfrente, donde generalmente tenían su lugar.

—Siéntese, señorita Morris —Lucy señaló un banco y Quincey se sentó con cuidado, tratando de buscar una posición cómoda, incapaz de agacharse a causa del corsé y resentido por la feminización que se le impuso. ¡Ante el Conde!

La muchacha regordeta le deslizó delgadas medias de algodón en las piernas, desenrollándolas poco a poco, y luego le puso ligas rojas para mantenerlas en su lugar. El conde Drácula observaba con interés y a Quincey le ardía el rostro de vergüenza.

No había botas que le quedaran y las enaguas estaban cortas, pero cuando bajó la mirada, le sorprendió darse cuenta que su cuerpo las ensanchó de manera antiestética.

Lucy y la otra muchacha le metieron un vestido escarlata por la cabeza, lo ajustaron a su cuerpo y le pusieron una faja en la cintura. El tafetán crujía al menor movimiento y le refrescaba la piel. Una sensación peculiar invadió a Quincey, una de liberación. Sintió que ahora podía relajarse como antes hubiera sido imposible.

Arthur volvió a gritar, esta vez suplicando piedad, pero la joven no tuvo ninguna. Usaba un látigo pequeño para azotar su desinflado pene, que luchaba por complacerla, y entonces le perforó el otro pezón. John saltaba y temblaba como un trozo de grasa en el asador. Lucy se llevó una mano a la boca y gritó.

—¡Me olvidé de él!

Volteó a ver a Drácula, la molestia volvió angostos sus ojos.

—Si hubiera querido frito al doctor —su voz resonó desde el centro de la habitación —yo mismo me hubiera encargado.

Lucy sacó el caliente caldero de abajo del asiento de metal el cual, Quincey sabía, esta vez tardaría mucho más tiempo en enfriarse. Creyó que olía a carne quemada.

Un hombro del vestido transparente de Magda había caído, dejando expuesto un bien desarrollado seno que invitaba a que lo besaran. Quincey volteó a ver sus escasos montes y le parecieron raquíticos.

Van Helsing estaba parado frente a Magda, aún inmune a sus encantos seductores. Su seno desnudo señalaba en su dirección, como un cachorro ansioso de caricias. Movía las caderas mientras hablaba. Ahora Van Helsing tenía el látigo de Magda en las manos y estaba acariciando con el dedo el nudo de la cuerda; sus ojos nunca se despegaron de los de Magda.

—¡Vuelve a sentarte, Quin! —dijo Lucy. Quincey obedeció, dejando que este nuevo nombre fluyera en su mente. Quin, ¿no? Era el nombre perfecto para una mujer. Fuerte. Orgulloso. Y con un toque de pasión por la sumisión. Se le ocurrió que ese nombre iba mejor con él que el suyo.

Las dos mujeres trabajaron en su cabello, lo recogieron y lo peinaron con un estilo apropiado para una dama. Lucy sacó una caja con maquillaje para la cara y le pintó las mejillas, los labios y los párpados con colores que sin duda lo hacían verse como una prostituta callejera, pero Quincey no podía hacer nada para detenerla y se entregó pasivamente. Le colgaron perlas cultivadas en el cuello y le clavaron peinetas de concha de tortuga en el cabello. Cuando terminaron de acicalarlo, lo pusieron de pie y volvieron a hacerlo girar, burlándose de su creación, besándose los pezones una a la otra y metiéndose los dedos en la vagina.

Lucy hizo un peculiar instrumento de madera con un hueco grande y dos más pequeños. Se abría como una mandíbula. Le colocaron el cuello en la abertura principal y las muñecas, una frente a la otra, en los otros dos, y cerraron el aparato de un golpe. Quincey quedó parado con los brazos levantados frente a él, atrapado en un cepo móvil.

—Ven —dijo Lucy, jalando los cepos—. Conozco un hombre que apreciará tus encantos.

Lo llevó del otro lado de la habitación, pasaron junto al erecto y gritón Arthur, y llegaron al conde Drácula, que de inmediato se puso de pie.

—Señoritas —les dijo haciendo una ligera caravana, y se volteó hacia Quincey, con ojos seductores y peligrosos. Quincey estaba sumamente avergonzado. Quería ocultar la cara y el deseo que sabía que revelaba, pero los cepos se lo impedían.

—Señorita Quin Morris, quiero presentarle al conde Drácula, amo absoluto de este castillo. Conde, la señorita Morris, de Estados Unidos.

El Conde jaló a Quincey hacia delante para que sus labios pudieran besar una de sus atrapadas manos. Los helados labios produjeron escalofrió en el brazo de Quincey.

—La señorita Morris vino desde Texas, vía Inglaterra, haciéndose pasar por caballero de gustos exóticos. Sin embargo, se ha portado muy mal y espero que se encargue de eso. Si me disculpan —dijo Lucy para retirarse a ver cómo iba el malestar de John.

—Señorita Morris, será el centro de toda mi atención —Drácula le aseguró a la joven y después se dirigió a Quincey—. No voy a decepcionarla, señorita Morris. Y usted no me defraudará. Venga.

Drácula tomó con fuerza el extremo de los cepos y jaló a Quincey por la habitación como una mascota con correa. Quincey, con el rostro ruborizado, se veía recatadamente triste. El corazón se le salía del pecho. El cuerpo le temblaba. Lo que estuviera a punto de pasar era algo que no había previsto.

Caminaron por la habitación como un señor y su perro que salieran a pasear; Drácula al frente de Quincey como si éste fuera una mujerzuela de marca mayor.

Contra la pared se había colocado una pequeña cama de paja cubierta con fino musgo blanco. Drácula se sentó en la orilla. De inmediato, jaló a Quincey hacia su regazo. Levantó sus faldas, le colocó la tela en la cintura y le bajó la prenda íntima hasta las rodillas.

Antes de que Quincey entendiera lo que pasaba, un dedo se le incrustó en la profundidad del ano. El esfínter se tensó y rugió a causa de la invasión, aunque de manera ilícita le pareció emocionante.

—Todavía es virgen —Drácula mencionó en tono casual—. Orgullosa. Coqueta. Provoca a los hombres con su esencia y les niega el acceso. He violado los orificios de muchas vírgenes —Quincey sabía que tenía el rostro color escarlata por la vergüenza —. ¿Cree —Drácula continuó— que un comportamiento como ése en una mujer como usted debe quedar sin castigo?

A Quincey le daba miedo responder, sabía que lo que dijera en nada cambiaría su destino. De todas maneras, la idea de jugar este juego lo intrigó. Siempre se preguntó qué era lo que el sexo opuesto experimentaba a manos de un Amo poderoso, ésta era su oportunidad para averiguarlo. Y la verdad es que la posición en la que estaba lo excitó.

—No lo creo, señor —Quincey se escuchó contestando.

—Entonces —el conde Drácula prosiguió—, como caballero y disciplinario, es mi obligación satisfacerlo corrigiendo con severidad suficiente para domar sus pasiones y hacerlas accesibles.

La mano que le pegó a Quincey en el trasero era larga y pesada, y lo hizo saltar. En la fracción de segundo que sus glúteos se elevaron en el aire, la mano volvió a encontrarse con ellos y con una nalgada los bajó. Los azotes fueron tan severos como lo prometió. Agresivos golpes le caían encima en rápida sucesión y Quincey gritaba sin poder detenerse, no le quedaba más que someterse al calor que aumentaba con rapidez; en el fondo sabía que el Conde era capaz de cosas mucho peores.

El ardor en su trasero se intensificó muy rápido. Conforme Quincey se balanceaba en las rodillas del dominante hombre que lo azotaba con tanta severidad, sensaciones eróticas invadieron sus entrañas. Nunca se había sentido tan fuera de control, tan fragmentado, con tanta necesidad de consuelo. De su piel salía humo. Las lágrimas fluyeron y las dejó correr con libertad, como si fuera mujer. A través de la bruma del justificado dolor, experimentó una mezcla especial de ira y gratitud. Incluso aunque hubiera podido ponerle freno a su agonía, no lo habría hecho. Muy en su interior sabía que toda la vida ansió ese trato, y que al fin había encontrado a alguien con la fuerza física y mental suficiente para no pasarle nada por alto.

Quincey estaba consciente de que estaba a punto de explorar dimensiones que jamás había conocido. Al final, esperaba tener una imagen más clara de quién o qué residía en su interior.

Capítulo cuarenta
y uno

Magda se contoneaba ante el severo Profesor de Ámsterdam con movimientos sensuales que hubieran atraído a su Amo, el conde Drácula, pero que en este hombre parecían no tener efecto. Los ojos del Profesor reflejaban peligro, aunque su cuerpo estaba rígido, sin que la invitación lo alterara. Sólo sostenía el látigo en la mano y seguía acariciando la lisa cuerda de cuero y el cordón anudado que tenía en la punta, mientras ella le hablaba de los placeres y dolores que había experimentado a manos de su tirano Amo.

—Como le dije, Profesor, la piel de los de nuestra especie sana con rapidez. Los azotes que en una piel normal tardan una semana en desaparecer, en la mía se desvanecen en un día —Dejó que la tela resbalara más, dejando al descubierto su ombligo y la joya que allí tenía incrustada. Cayó hasta su cadera cuando se movió ante él en una danza de seducción. Este hombre tenía la llave de lo que hasta ahora se le había negado a Magda.

Van Helsing escuchaba con atención, lo que le dio esperanza. No había servido a más Amo que al Conde. Ansiaba sentir los azotes de alguien con una reputación como la de él, pero al mismo tiempo la idea la mataba de miedo. Drácula era una criatura sexual, de apetitos fuertes e impulsos imparables en su afán por saciarlos. Van Helsing tenía fama de ser asexual, de obtener gratificación simplemente provocando dolor. Cuando menos hasta que conoció a Lucy. Ella fue el inicio de sus deseos. Magda sería el final.

Pero en ese momento, el Profesor no tenía ninguno, o así parecía.

—¿Qué aliciente me ofreces para azotarte? Si estás satisfecha con tu actual Amo, no veo la necesidad.

—Señor, es a él a quien quiero complacer rebajándome ante su rival.

—¿En qué me beneficia?

Magda fue cautelosa. Pronunció su respuesta con mucho cuidado.

—Tengo poder sobre ésa a la que tanto desea —lo observó mirar a Lucy.

—Sé honesta, muchacha. ¿Estás diciéndome que si te azoto como me lo pides me entregas a Lucy?

Magda esbozó una sonrisa enigmática.

—¿Y si el Conde no la libera?

—No tiene opción, soy su primera esposa y uso a las demás de la manera que me conviene. A cambio de este acto, aceptó complacerme en lo que quisiera, y el honor lo obliga a cumplir con su palabra.

—¿Y si Lucy no desea abandonarlo?

—Lucy quiere hacerlo. Me obedece. Cuando entró, vio los azotes que tenía y ahora puede darse cuenta de que prácticamente están sanados —Magda vio coqueta a través de sus pestañas al Profesor. Mientras examinaba la piel casi aliviada de Lucy, dijo— No fue el Conde quien se los provocó, sino la mujer que tiene ante usted. Lucy ya aprendió a someterse a mí.

El Profesor pensó en todo esto. Magda tuvo la impresión de que estaba formulando algún tipo de plan, quizá para ganar tiempo y rescatar a Lucy del castillo y de sus depravados habitantes. O quizá analizarlo era el único medio de escape. Probablemente fantaseaba con la idea de que sus castigos impuestos a la bella Lucy ya no estarían limitados por su flaqueza. Y allí estaba el señuelo de la dispuesta piel de Magda.

—Prepárate —dijo Van Helsing de repente.

—Amárreme a esta pared —suplicó Magda— o de lo contrario le aseguro que intentaré escapar.

Conforme el Profesor le separó las muñecas y los tobillos para encadenarlos con firmeza, el valiente y provocativo rostro de Magda se desmoronó. Lo que pidió, a lo que él accedió, el hecho de que obtendría lo que más deseaba, todo eso requería un inmenso sacrificio, que no estaba segura de poder hacer. Inmortal, como era, sentía dolor como cualquier mortal, quizá hasta más porque siempre había dado más. Ése, sabía, era el caso aquí.

De manera violenta, le arrancó el vestido que ahora colgaba sólo de sus caderas, dejándola desnuda y exhibida. Cuando le recogió el largo cabello y lo echó para atrás, Magda tembló. ¡Sería azotada de pies a cabeza hasta el amanecer! El látigo la torturaría sin la esperanza de obtener placer al final, no sabía si lo soportaría. En el pasado, el Conde la había castigado mucho peor, pero ya no era la niña ingenua que tomó y dominó tan fácilmente, la que le entregó hasta el alma.

Ahora era una mujer, con muchos siglos de antigüedad, y diferente a lo que había sido. Con gusto padecería esto y más para estar con su verdadero amor, pero nadie puede sufrir tanto. Drácula siempre atenuaba su dolor satisfaciéndola. Sabía que Van Helsing no lo haría. Le gustaba el dolor por el placer del dolor.

El Profesor colgó el látigo en el muro que estaba a su lado.

—Usted...¿Ahora se niega? —A sus oídos les pareció optimista la pregunta.

Tomó el bastón de metal y lo hizo sonar en el aire. El agudo sonido le provocó la impresión de que el aire mismo había sido seccionado. El sonido distintivo hizo que todas las cabezas de la habitación voltearan y todos dejaron de hacer lo que hacían.

Van Helsing se paró atrás de ella, oprimiendo su vestido cuerpo contra el desnudo de ella, con las manos recargadas en las piedras al lado de su cabeza, y con los labios cerca de su oído. Magda volteó la cara ligeramente. La oscuridad de sus ojos era intimidante y jadeó horrorizada.

—Te daré todo lo que deseas —le dijo— y me devolverás el favor. Me doy cuenta que tu deuda es enorme.

El sonido del bastón la congeló, pero el golpe que le siguió inmediatamente la escaldó. Los colmillos se le clavaron en el labio inferior y no pudo detener el grito que salió de su boca. Magda nunca había sentido nada tan brutal como este objeto no natural. ¡Y esto era sólo el principio! Pero estas ideas se evaporaron cuando un halo de dolor la envolvió.

Capítulo cuarenta
y dos

E l cuerpo de John estaba agotado por el exceso de cocción, aunque su pene seguía firme y listo. Hacía mucho tiempo que los glúteos se le habían entumecido, pero sabía que el alivio sería insoportable. Más que nada, estaba consciente de su estado emocional. En la eternidad que tenía pegado al asiento caliente, había ascendido y descendido emocionalmente mil veces. Ahora estaba suspendido en un estado placentero, sin pensamientos, sin preocupaciones.

Lucy le quitó las ataduras que lo fijaban a la silla de tortura. Cuando la fresca piel de ella le acarició la suya, John aceptó la sensación como un hombre muerto de sed que recibía agua. Por fin le quitó la venda. Cuando tuvo la vista clara, lo primero que vio fue el rostro de la muchacha. El rostro de una diosa. De su Ama.

Nunca le había parecido tan encantadora. Rubios mechones enmarcaban sus pálidas mejillas y frente, y brillaban como aureola. Sus ojos violetas reflejaban la profundidad de un océano sin fondo. Sus frondosos y seductores labios, como ciruelas rojas, dibujaron una sonrisa y se acercaron, oprimiéndose contra los de él.

La boca de John se abrió para rendirse a su gran dulzura. Sus pezones, dos tibios rubíes, se clavaron en el pecho del médico. Por este ser que tenía el destino de John en sus delicadas manos, haría lo que quisiera, lo que fuera.

Lucy volteó abruptamente al escuchar un impresionante sonido, él hizo lo mismo. Magda estaba encadenada, desnuda, a la pared de piedra y el Profesor atrás de ella con su vara metálica de castigo a todo lo que daba. El cuerpo de la joven se convulsionó.

Una rápida mirada a la habitación le ofreció a John un espectáculo extraño. La muchacha que besaba el miembro de Arthur —¿cuántas veces iban ya?— hizo una pausa para ver al Profesor. Arthur pendía de la cruz en forma de X, con el inflamado pene asomado por un agujero y la mano femenina seguía jugando con él. Ponía los ojos en blanco una y otra vez. Agujas le atravesaban ambos pezones, que ahora estaban hinchados por la agonía sufrida. Tenía el rostro pálido, pero su expresión denotaba dicha absoluta, algo muy parecido al estado en el que estaba John.

En la pared más lejana el espectáculo era más impresionante. Una mujer grande yacía llorando en las rodillas del conde Drácula, cuya mano golpeaba con fuerza su trasero. Tenía las mejillas rojas como semillas de granada y John se excitó. Drácula hizo pausa sólo un momento y después prosiguió su labor con gran vigor.

El sonido más familiar dirigió la atención del médico de regreso al Profesor y a Magda. El horrible bastón de metal partiendo la nada y después golpeando la piel. Magda gritó. La vara volvió a cortarle los hombros, justo en el cuello. Van Helsing levantó el brazo de inmediato y volvió a dejarlo caer. La tercera herida estaba encima de las dos anteriores, aunque éstas debieron estar una debajo de la otra porque la línea roja se expandió. Una y otra vez el metal plateado se elevaba en el aire, dejando a su paso una masa de piel destrozada.

Lucy se veía particularmente excitada con la paliza a Magda. Deslizó su mano hacia la vagina. En un impulso, John se estiró, acarició su trasero y ella se empujó hacia atrás contra él, sin darse cuenta de lo que estaba haciendo. Su duro pene pulsaba con renovada energía. Para él, los glúteos de Lucy eran tan redondos y seductores como un durazno maduro, fruta receptiva a sus apretones. Se paró temblando, cobrando fuerza al tiempo que su excitación crecía.

Mientras el Profesor pintaba la espalda de Magda con golpes rítmicos, John perforó la vagina de Lucy por atrás. Ésta se inclinó para complacerlo y gimió, sus dedos seguían acariciando con ansiedad su pequeño clítoris.

Por dentro era un horno, la piel gruesa, caliente y jugosa. John le agarró las caderas y la penetró fuerte. La cosa que apresaba su pene y testículos le permitía tener sensación pero creyó no podría eyacular, aunque no le importaba. Lucy era una gran anfitriona con la que pensaba quedarse así.

Sintió a la regordeta muchacha de cabello oscuro en su espalda, con los pezones apuntando a su piel. Deslizó una mano por la abertura de su maltratado trasero y lo penetró con un dedo.

Como si se tratara de una conspiración no planeada, los movimientos y los sonidos se sincronizaron. El ahora húmedo bastón, el golpe de una mano en la piel sensible, los gritos de Arthur y los de Magda, todos alineados con los movimientos del dedo de la joven de cabello oscuro y las penetraciones de John. Parecía que el universo se había fundido en un solo latido que iba al ritmo del de su corazón.

Al tiempo que la válvula de vida intensificaba su velocidad, los sonidos que brotaban en y dentro de él se mezclaron con las sensaciones que dominaban su cuerpo. La joven regordeta insertó dos dedos más, expandiéndolo. Lucy se abrió más, pero su vagina lo apresaba con fuerza en un abrazo exquisito. Con cada segundo la penetraba más a fondo.

Poder y energía lo inundaron, a todos, lo sabía. Y a pesar del implemento que tenía alrededor del pene y de los testículos, explotó adentro de Lucy como un volcán expulsando lava derretida.

Los gritos de liberación cayeron en cascada en la habitación circular, haciendo eco. Inundaron a John, igualándose a los suyos, y por fin entendió cuál era su lugar en el esquema cósmico de las cosas.

CAPÍTULO CUARENTA Y TRES

Quincey despertó sobresaltado. Había dormido, pero no sabía cuánto tiempo. Su cuello y muñecas seguían atados a los cepos móviles, dificultándole el movimiento y provocándole dolor en los músculos.

Abrió los ojos e intentó enderezarse. El dolor le astillaba el trasero. Gritó y el recuerdo de la noche anterior se le estrelló.

El traje rojo de satén que vestía seguía ajustado a su espalda y tenía la prenda íntima abajo. Había estado acostado sobre las piernas del Conde, lo humillaron, lo vistieron de mujer y lo azotaron más de lo que pensó resistir, primero con la mano del Conde y después con el guante de vampiro que Lucy le regaló a Drácula. Golpe tras golpe, las pequeñas puntas se le clavaban en la sensible piel cada vez que esa incontenible mano descendía, hasta que finalmente se rindió en su interior y gritó como nunca antes, sometiéndose a la mente, cuerpo y espíritu del conde Drácula. Y el resultado fue un trasero en carne viva con mordaz dolor. En su interior, durante la noche surgió un nuevo lugar que no sabía que existía. Se sentía diferente, liberado.

Arthur descansaba en la grande X de madera, con el pene carmesí semierecto, aún asomado por el agujero; marcas de colmillos eran evidentes en la vena de su miembro. John dormía en la silla en la que lo habían cocinado como un pedazo de carne. El profesor Van Helsing estaba sentado en el piso recargado en la pared. Su rostro era diferente. Ya no tenía el control de sí mismo. Junto a él había un charco de sangre seca y las paredes estaban salpicadas con miles de manchas rojas. Una imagen de Magda apareció en la mente de Quincey. Rojo sobre rojo. Su cabello se mezclaba con el fuego carmesí que goteaba de su espalda. Tenía la boca abierta, pero tenía la voz apagada y no salía ningún sonido. Su cuerpo saltaba indefenso cuando el húmedo bastón de Van Helsing le abría lo que le quedaba de piel. Quincey tembló. Tuvo la fantasía de que lo azotaban hasta ese extremo, pero el estado del Profesor logró impresionar a Quincey. El hombre denotaba debilidad y el estadounidense ya no lo encontraba atractivo.

Ninguna de las mujeres, ni el conde Drácula, estaban en la habitación. Quincey se preguntaba dónde estaba éste, y con quién. La noche anterior se sintió como un caballo que estaban entrenando. Un semental salvaje que al fin conoció a su pareja. Su voluntad estaba destrozada. Y ahora esperaba sumiso el regreso de su estricto Amo. Con ansias deseaba su próxima lección.

A través de la única ventana de la habitación, observó que la luz que había del otro lado del opaco vidrio oscurecía. Y entonces entraron flotando a la habitación como espectros, primero las mujeres de cabello oscuro y por último Drácula en persona. Lucy y Magda no estaban con ellos.

Quincey veía más alto al Conde, más guapo, en especial comparado con Van Helsing.

—Levántate, Profesor —ordenó— porque quiero concluir con tu derrota. No hay tiempo que perder.

Van Helsing se puso de pie de inmediato.

—¿Dónde está Lucy? —preguntó con voz peligrosamente menos dinámica que antes.

—Curando lo que queda de las heridas de Magda. Vine a demostrarte que te quedaste solo.

Drácula se dirigió a John y de un jalón lo puso de pie. La muchacha regordeta se colocó atrás de él y Quincey vio que deslizaba una mano entre sus piernas para atraparle los testículos.

—¡Di el nombre de aquella a quien debes obedecer! —le ordenó Drácula.

—Lucy —John respondió sin dudar. Vio descaradamente al Profesor y Quincey se dio cuenta que sus ojos ya no proyectaban el arrepentimiento y el miedo al rechazo que alguna vez reflejaron. Van Helsing también lo notó.

—¿Tu punto? —El Profesor se dirigió a Drácula.

Pero ahora el Conde estaba en las barras en forma de cruz de las que pendía Arthur. En cada pezón tenía un aro, que en la parte inferior sostenía la cabeza de un lobo plateado.

—¿Eres sumiso con el Profesor?

—No sea ridículo, es un tonto —Arthur se rio con amargura.

—¿A quién debes obedecer?

La belleza delgada de cabello oscuro se arrodilló a los pies de Arthur. Abrió los labios y tomó su pene.

—Estoy a merced de la mujer que ve ante mí. Mi Ama. Me entrego a ella a ciegas, aunque ni siquiera sé su nombre —Arthur cerró los ojos. Gimió y tensó los glúteos mientras ella le provocaba una erección.

El terror y la excitación congelaron a Quincey cuando Drácula se dirigió a él. Caminó hacia la cama y jaló dolorosamente al estadounidense de la tela de sus faldas hasta que su herido trasero se elevó en el aire. Drácula se paró atrás de él y segundos después Quincey sintió un decidido golpe en su puerta trasera.

—Señor —tartamudeó—, le ruego que...

Pero ahora gritó. Sintió que una extremidad lo penetró, llenando su recto con la piel de un hombre, o al menos lo que alguna vez fue un hombre. Los gritos de dolor pronto se convirtieron en gemidos de placer al tiempo que Drácula lo montaba rápido y fuerte, más fuerte. En segundos, ese pene se puso rígido y palpitó, una gran cantidad de líquido caliente cayó en el interior del trasero de Quincey.

Cuando se salió con la misma velocidad, Quincey se quedó donde estaba, saboreando las sensaciones que le dejó la penetración, ofreciéndole el trasero al placer del Amo, cuando y donde fuera.

—Señorita, por favor dígale su nombre al profesor Van Helsing y a quién pertenece —Drácula le ordenó

—Soy la señorita Quin Morris y pertenezco a usted, señor, sólo a usted —Quincey dijo sin dudarlo y con una sonrisa en los labios.

Capítulo cuarenta
y cuatro

Mientras esos dedos pequeños y experimentados jugaban con los testículos de John, se preguntaba dónde estaban Lucy y Magda. Lucy, sus rasgos angelicales y su severo amor. No sabía qué torturas y placeres le provocaría esta noche.

Drácula acechaba a Van Helsing como una fiera que intenta destruir a su presa.

—¿Permito que te vayas? —empezó.

—Por honor debes cumplir tu palabra —le recordó Van Helsing, aunque en la voz del Profesor no había fuerzas.

—Tú no sabes nada del honor, tú que eres tan débil que no puedes ni gobernar un ejército —la mano de Drácula recorrió la habitación—. Para ser más específico, por el trabajo que hiciste en Magda es obvio que no controlas tus pasiones.

—Creo que Magda solicitó mi tratamiento a solicitud tuya.

—¿Y ordené que perdieras el control por completo?

Con estas palabras, Van Helsing se sintió reprendido. John sabía que Drácula había planeado este resultado. ¿No todos perdieron el control? Era la naturaleza de la bestia. John tembló a la expectativa de no perder el control. Como si le hubiera leído el pensamiento, la regordeta muchacha de cabello oscuro le apretó los testículos con fuerza, provocando que escalofríos de terror y de placer le recorrieran el cuerpo.

—Esto no tiene sentido —dijo Van Helsing—. Hice lo que me pidieron, aunque no te haya gustado, y ahora Lucy me pertenece. Con los demás puedes hacer lo que creas conveniente. Ninguno de ellos me importa —volteó a ver a Quincey con asco, a Arthur con amenaza y a John, a quien conocía y había castigado tan bien, Van Helsing le reservó una mirada especial de odio por su traición.

Drácula cruzó los brazos en el pecho.

—Tu deficiencia es ridícula, y como los derrotados me dan lástima, te daré un poco de ella. Como están las cosas, lo único que te ganaste es mi odio.

Se dio la vuelta y le gritó a la joven regordeta.

—¡Ve por Lucy!

La muchacha se alejó de John como si la hubieran jalado físicamente del otro lado de la habitación, y corrió hacia la puerta.

—Yo mismo te haría pedazos, Profesor, pero no soporto la imagen de tan defectuoso ser. Ni a ti, ni a tus tres peleles. ¡Váyanse de aquí, en este instante!

—Con Lucy.

—A Magda le parece divertida, pero yo ya acabé con ella. Por el momento.

Drácula, ¿un hombre de honor?

A John le sorprendió el cambio de los eventos. También se sintió desolado. No tenía idea cómo viviría sabiendo que su ama Lucy una vez más sucumbiría al estricto control del Profesor y la perdería para siempre. Además de eso, tendría que abandonar el palacio del placer en contra de su voluntad. Y ahora que Van Helsing había sido testigo de su traición, John sabía que no había esperanzas ni siquiera de tener un encuentro ocasional con la vara de castigo.

La muchacha regordeta entró corriendo a la habitación, sin aliento.

—¡Te pedí que la trajeras! —Drácula dijo, volviéndose a ella como si fuera a golpearla.

Se encogió ante él.

—Amo, no está en ningún lado. Ni ella ni Magda.

Drácula se dirigió a la ventana y la abrió. El fresco aire de la montaña llenó la habitación. John observó cómo se le perdía la mirada, como si estuviera concentrándose. Su rostro se volvió un bloque de mármol esculpido. Su expresión se transformó en furia negra. Siseó, dejando expuestos los largos y peligrosos colmillos, después se volvió a Van Helsing con brillantes ojos rojos.

—Es muy tarde, Profesor. Demasiado tarde.

—¡Éste es otro de tus trucos y no voy a tolerarlo!

—Un truco, quizá, pero no de mi magia. Parece que a los dos nos engañaron. Percibo que Magda y Lucy están juntas, tal vez para la eternidad —señaló con la cabeza la pared de los implementos, donde saltaba a la vista que un gancho estaba vacío—. Las dos y el látigo de Magda.

Sobre la autora

La escritora de novelas de terror Nancy Kilpatrick tiene en su haber más de catorce novelas, de las cuales *Niño de la noche*, *Al borde de la muerte*, *Drácula pasional*, *Historias de vampiros*, *Amante de la sangre*, *Frankenstein pasional* y *Volver a nacer* han sido publicadas en español por esta editorial. También ha escrito para los comics VampErotica y ha editado numerosas antologías. Ganó el premio Arthur Ellis a la mejor novela de misterio y ha sido finalista dos veces para el premio Bram Stoker y cinco para el premio Aurora. Ella y su gata negra Bella residen en Montreal.

TÍTULOS DE ESTA COLECCIÓN

Al borde de la muerte

Amante de la sangre

Drácula pasional

Frankenstein pasional

Historias de vampiros

Niño de la noche

Volver a nacer